EL SENDERO
DEL MAGO

EL SENDERO DEL MAGO

Veinte lecciones espirituales
para crear la vida que usted desea

DEEPAK CHOPRA

Traducción
Adriana de Hassan

GRUPO
EDITORIAL
norma

Barcelona, Bogotá, Buenos Aires, Caracas, Guatemala,
México, Miami, Panamá, Quito, San José, San Juan,
San Salvador, Santiago de Chile

Edición original en inglés:
THE WAY OF THE WIZARD
Twenty Spiritual Lessons for
Creating the Life You Want
de Deepak Chopra.

Una publicación de Harmony Books
división de Crown Publishers, Inc.
Nueva York.

Copyright © 1995 por Deepak Chopra, M.D.

Copyright © 1996 para América Latina
por Editorial Norma S. A.
Apartado Aéreo 53550, Bogotá, Colombia.
Reservados todos los derechos.
Prohibida la reproducción total o parcial de este libro,
por cualquier medio, sin permiso escrito de la Editorial.
Primera reimpresión, 1996
Segunda reimpresión, 1996
Tercera reimpresión, 1996
Cuarta reimpresión, 1996
Quinta reimpresión, 1997
Sexta reimpresión, 1997
Impreso por Editolaser
Impreso en Colombia — Printed in Colombia
Mayo, 1997

Dirección editorial, María del Mar Ravassa G.
Edición, Patricia Torres Londoño
Dirección de arte, María Clara Salazar
y Julio Vanoy

Cubierta adaptada del diseño original
de Rick Pracher, sobre una pintura de Bernie Fuchs.
Fotografía del autor, Ed Krieger.

Este libro se compuso en caracteres Berkeley.

ISBN: 958-04-3372-0

Primera parte

LA ENTRADA
AL MUNDO
DEL MAGO

La gente se pregunta por qué, habiendo nacido en la India, me siento tan atraído por los magos. Mi respuesta es la siguiente: en la India todavía creemos que los magos existen. ¿Qué es un mago? No es sencillamente alguien que puede hacer magia, sino alguien capaz de transformar.

Un mago puede convertir el temor en alegría,
la frustración en realización.
Un mago puede convertir lo temporal en eterno.
Un mago puede llevarnos más allá de nuestras
limitaciones hacia lo ilimitado.

Cuando era niño y vivía en la India, sabía que todo eso era cierto. A veces llegaban a nuestra casa ancianos de túnicas blancas y sandalias, y hasta para un muchacho asombrado por la vida, parecían criaturas muy especiales. Estaban completamente en paz; de ellos emanaban la alegría y el amor; parecían no inmutarse ante los altos y bajos de la vida cotidiana. Los llamábamos gurús o consejeros espirituales. Pero tardé mucho tiempo en darme cuenta de que gurú y mago es lo mismo. Todas las sociedades tienen sus maestros, clarividentes y sanadores; *gurú* era sólo nuestro vocablo para designar a los poseedores de la sabiduría espiritual.

En Occidente, se considera que los magos son principalmente hechiceros que practican la alquimia para convertir un metal inferior en oro. En la India también existe la alquimia (de hecho fue allí donde se inventó), pero la palabra *al-*

quimia es en realidad una clave. Significa convertir a los seres humanos en oro, convertir nuestras cualidades inferiores de temor, ignorancia, odio y vergüenza en lo más precioso: el amor y la realización. Por tanto, un maestro que nos pueda enseñar a convertirnos en seres libres llenos de amor es, por definición, un alquimista — y siempre lo ha sido.

Cuando ingresé a la escuela secundaria en Nueva Delhi, ya sabía mucho acerca de Merlín, el famoso mago de la leyenda inglesa del rey Arturo. Como a todo el mundo, también a mí me hechizó desde el primer momento. No tardé mucho en descubrir todo su mundo. En mi cabeza resuenan todavía decenas de versos del poema épico de Tennyson, *Idilios del rey*, los cuales tuvimos que memorizar durante aquellos largos y calurosos días escolares. En aquella época devoré toda la literatura que logré encontrar sobre el rey Arturo. No me parecía raro saberlo todo acerca de Camelot*, ese sitio de campos verdes y temperaturas clementes, aunque yo viviera bajo el sol ardiente del trópico; o que deseara cabalgar como Lancelot**, aunque me hubiese sofocado bajo la armadura; o que la cueva de cristal de Merlín existiera en realidad, a pesar de que todos los autores que leía me aseguraran que los magos no existían.

Yo sabía que no era así, porque era un muchacho hindú y había conocido personalmente a los magos.

POR QUÉ NECESITAMOS A LOS MAGOS

Durante treinta años he reflexionado acerca de los magos. He visitado Glastonbury y el occidente de Inglaterra, he escalado el Tor y he visto la colina donde supuestamente descansan

---

* Lugar donde, según la leyenda, estaba el castillo del rey Arturo. [*N. del Ed.*]
** Fiel caballero de Arturo. [*N. del Ed.*]

el rey Arturo y sus caballeros. Pero algo más místico, la necesidad de la transformación, me hace volver nuevamente a la magia. Año tras año he sentido que nuestra época necesita de ese conocimiento más que nunca. Ahora que soy adulto, dedico mi vida profesional a hablar y escribir sobre la forma de alcanzar la libertad plena y la realización. Pero apenas hace poco me di cuenta de que todo el tiempo he estado hablando de alquimia.

Finalmente decidí que una forma interesante de abordar este tema sería a través de una de las relaciones más maravillosas que se haya registrado nunca, la que existió entre Merlín y el joven Arturo en la cueva de cristal. En este libro, la cueva se presenta como un sitio privilegiado dentro del corazón humano. Es un refugio seguro donde hay una voz sabia que no conoce el temor, y al cual no llega la agitación del mundo exterior. En la cueva de cristal siempre ha existido y existirá un mago — lo único que hay que hacer es entrar en ella y escuchar.

Hoy en día la gente vive en el mundo de los magos tanto como lo hicieron las generaciones pasadas. Joseph Campbell, el gran estudioso de la de mitología, decía que cualquier persona que espera en una esquina a que el semáforo pase a verde para cruzar la calle, en realidad está esperando entrar en el mundo de los actos heroicos y la acción mítica. Lo que sucede es que no vemos nuestra oportunidad, y cruzamos la calle sin ver la mítica espada en la roca al lado del andén.

El viaje hacia lo milagroso comienza aquí. Éste es el mejor momento para comenzar. El sendero del mago no existe en el tiempo — está en todas partes y no está en ninguna parte. Nos pertenece a todos y no le pertenece a nadie. Así, éste es sólo un libro acerca de cómo recuperar lo que ya es nuestro. Como dice la primera frase de la primera lección:

Hay un mago dentro de cada uno de nosotros
— un mago que lo ve y lo sabe todo.

Ésta es la única frase del libro que se debe aceptar como un acto de fe. Una vez que descubramos nuestro mago interior, la enseñanza vendrá por sí sola. Durante muchos años, este tipo de aprendizaje espontáneo ha sido el centro de mi vida diaria: observar y esperar a oír lo que mi guía interior tiene que decir. No existe otra forma de aprendizaje más fascinante. He oído la voz de Merlín en el sonido de una risa en el aeropuerto, en el susurro de los árboles al caminar hacia la playa, y hasta en la televisión. Una estación de autobuses puede convertirse en la cueva de cristal cuando se tiene la llave.

¿Por qué necesitamos seguir el sendero del mago? Para elevarnos sobre lo ordinario y lo confuso, y encontrar la clase de trascendencia que solemos relegar al campo de lo mítico, pero que en realidad tenemos a mano, aquí y ahora. Estar vivos significa ganarnos el derecho a decir lo que deseamos decir, a ser lo que deseamos ser, y a hacer lo que queremos. Camelot era el símbolo de esta forma de libertad. Por eso volvemos nuestros ojos sobre ese sitio mágico con nostalgia y admiración. La vida ha sido difícil desde entonces.

Una vez, un discípulo preguntó a su maestro: "¿Por qué siento esta opresión tan grande, como si quisiera gritar?" El maestro lo miró y le dijo: "Porque todo el mundo se siente igual".

Todos nosotros deseamos crecer en amor y creatividad, explorar nuestra naturaleza espiritual, pero muchas veces erramos el objetivo. Nos encerramos en nuestra propia cárcel. Sin embargo, hay quienes han roto el encierro que comprime la vida. Rumi, el poeta persa, decía: "Somos espíritu incondicionado atrapado por las condiciones, como el Sol en un eclipse".

Ésa es la voz de un mago que no creía que los seres humanos viviésemos limitados en el tiempo y el espacio. Sólo estamos eclipsados temporalmente. El propósito de aprender de un mago es encontrar al mago que llevamos dentro. Una vez hallado el guía interior, nos habremos encontrado a nosotros mismos. El yo es el Sol de resplandor permanente que, aunque eclipsado, cuando se despejan las sombras se muestra en toda su gloria.

Cómo aprender del mago

En este libro hay veinte lecciones, cada una de ellas relatada desde el punto de vista del mago. Al comienzo de cada lección hay algunos aforismos, trozos condensados de sabiduría del mago, que ayudan a trascender la realidad ordinaria. Léalos e interiorícelos. No espere un resultado, sólo viva la experiencia. No se esfuerce. Esforzarse es como luchar por salir de la arena movediza — sólo sirve para hundirse más.

El mago interior desea hablar, y eso es algo que nos sucede a todos. Pero para hacerlo necesita la oportunidad, el espacio. Al igual que los *koan* del Zen, los aforismos proporcionan ese espacio porque modifican el punto de vista, lo cual a su vez puede desencadenar el cambio de la realidad personal.

Es necesario traer la voz del mago a la vida cotidiana. Ya cité la primera frase de la primera lección: *Hay un mago dentro de cada uno de nosotros — un mago que lo ve y lo sabe todo.* El resto de la lección dice así:

> *El mago está más allá de los contrarios de luz*
> *y oscuridad, bien y mal, placer y dolor.*
> *Todo lo que el mago ve tiene sus raíces*
> *en el mundo invisible.*

La naturaleza refleja los estados de ánimo del mago.
El cuerpo y la mente podrán dormir,
pero el mago vela permanentemente.
El mago posee el secreto de la inmortalidad.

Estas palabras habrán cumplido su propósito si producen en nosotros una ligera sacudida, la emoción de un reconocimiento. En realidad es emocionante descubrir que no somos seres limitados, sino hijos de lo milagroso. Ésa es la verdad, la realidad profunda acerca de cada uno de nosotros que ha vivido eclipsada demasiado tiempo.

He recopilado cerca de cien de esos dichos, ilustrados con historias del mundo de Merlín y Arturo. No son fragmentos de las leyendas antiguas, sino parábolas que he enmarcado en esa época. A veces la historia ilustrativa parece no concordar exactamente con los aforismos o con la lógica perfecta. Lo he hecho deliberadamente, porque la mente lineal, con su necesidad de crear orden, no es la única que lo ha de acompañar en su viaje por el sendero del mago. Deberá andar ese camino de la mano de la imaginación, la esperanza, la creatividad y el amor.

En pocas palabras, el sendero del mago es el camino del espíritu. Pero la espiritualidad no se opone a la racionalidad; es el marco más grande dentro del cual encaja la razón, como una de muchas otras piezas. Para dirigirme a la mente lineal he incluido una sección denominada "Para comprender la lección", la cual sustenta los aforismos y las historias. Por último viene la sección titulada "Para vivir la lección", la cual nos ayuda a abrirnos para que la sabiduría del mago penetre en nuestra propia experiencia.

"Para vivir la lección" es la parte activa de este aprendizaje. Mis sugerencias son apenas un punto de partida, formas de encender la iniciativa de cada uno. En últimas, será nuestra propia comprensión la que cambiará nuestra realidad. En "Para vivir la lección" hay algunos ejercicios que podrían parecer pasivos, porque la mayoría son experimentos del pensamiento.

¿Qué es un experimento del pensamiento? Es una forma de llevar la mente a nuevos lugares, de hacerla ver las cosas de manera diferente. Los magos sabían algo profundo e importante — que si deseamos cambiar el mundo, es preciso cambiar nuestra actitud hacia él. Einstein se reclinó una vez en un sofá, cerró los ojos y vio a un hombre que viajaba a la velocidad de la luz. Sin descartar esa curiosa imagen, comenzó a realizar varios experimentos de pensamiento, aparentemente simples elucubraciones. Sin embargo, pocos años después, las actitudes de todo el mundo científico se transformarían cuando la naturaleza misma confirmara las visiones trascendentales de Einstein.

Si una fantasía en un sofá puede alterar el mundo, es porque los experimentos del pensamiento encierran un poder incalculable. Nada se aprende realmente hasta que se vive. Una vez que la razón, la experiencia y el espíritu se unen, se abre el sendero del mago y todo está dispuesto para la alquimia. La sabiduría que llevamos dentro es como una chispa que, una vez encendida, no se extingue jamás.

Para reunir esos elementos, se puede utilizar el siguiente método:

1. Siéntese en silencio durante unos momentos antes de iniciar la lectura de una lección.

2. Lea los aforismos y después tómese unos minutos para interiorizarlos. Léalos cuantas veces desee. Deje un espacio para sus propias reacciones e ideas, que suelen ser las cosas más valiosas que puede recibir.

3. Continúe leyendo el resto de la lección: la historia de Merlín y Arturo, la sección titulada "Para comprender la lección", y la titulada "Para vivir la lección".

4. Si en la última sección hay un ejercicio práctico — la mayoría de las veces es así — tómese unos minutos para hacerlo. Es conveniente repetirlo durante el día para vivir toda la experiencia.

Lea nuevamente cada lección tan a menudo como lo desee, una o más veces; destine un día o una semana para vivirla. En este proceso no hay cronogramas. Mi único consejo es vivir la lección por lo menos durante un día, en lugar de tratar de absorber demasiadas lecciones a la vez.

LOS SIETE PASOS DE LA ALQUIMIA

La tercera parte de este libro se refiere a las etapas de transformación a través de las cuales el mago lleva a su discípulo. Las he denominado los siete pasos de la alquimia, los cuales comienzan con el nacimiento y conducen, con el tiempo, a la transformación total. La alquimia consiste en transformar las cosas en oro, la sustancia perfecta e incorruptible. En términos humanos, el oro es un símbolo de la pureza de espíritu. Los siete pasos de la alquimia se realizan cuando la persona deja atrás todas las limitaciones, se libera de todos sus temores y toma consciencia del espíritu puro que lleva dentro.

No hay otro viaje más asombroso. En la época de Arturo lo habrían llamado una búsqueda, y el objetivo supremo de esa búsqueda siempre fue encontrar el Santo Grial, el símbolo más poderoso de la pureza de espíritu. Por lo tanto, para mí la alquimia y el Grial son la misma cosa. En ambos casos hay una búsqueda profunda del aspecto eterno de la vida que trae consigo lo que todos soñamos: el amor puro, la felicidad pura, la realización pura en el espíritu.

No importa si se lee primero la segunda o la tercera parte. Cada una tiene su estilo y enfoque propios, pero ambas provienen del mundo del mago. Merlín vive en ambas y su objetivo siempre es el mismo: enseñarnos a cada uno de nosotros cómo lograr la perfección a la que tiene derecho la carne.

Por último, este libro describe la aventura que nos llevará de una vida dominada por el ego y todas sus luchas, a una vida dominada por los milagros. Cada quien aprende a su propio ritmo, pero nuestra sed de milagros es tal que me gustaría estar con usted el día en que el conocimiento del mago comience a aflorar y, con él, su nueva vida. Lo que le espera al final es nada menos que el florecimiento pleno del potencial de su espíritu.

Nota: El mago, siendo un profeta, no tiene género. Es sólo la imperfección del idioma la que convierte a Merlín en un "él" (como lo hace también con los vocablos *Dios, sabio, adivino* y muchos otros que están más allá de lo masculino o femenino). A falta de un término neutral, deseo aclarar que la palabra *mago* se refiere aquí tanto a las mujeres como a los hombres. Vale la pena reconocer que, en nuestra sociedad, han sido las mujeres quienes más pronto han acogido el retorno de lo mágico.

Segunda parte

EL SENDERO
DEL MAGO

"Hay una enseñanza", dijo Merlín, "denominada el modo del mago. ¿Has oído hablar de ella?"

El joven Arturo levantó la vista del fuego que, sin éxito, trataba de encender. Casi nunca era fácil encender el fuego en las húmedas mañanas de comienzos de primavera en el País de Occidente.

"No, nunca he oído hablar de eso", contestó Arturo tras pensar un momento. "¿Magos? ¿Quieres decir que ellos tienen un modo diferente de hacer las cosas?"

"No, las hacen exactamente como nosotros", replicó Merlín, y chasqueando los dedos encendió el montón de leña húmeda que Arturo había recogido, impaciente ante los torpes esfuerzos del muchacho por encender el fuego. Al instante se formó una gran llama. Acto seguido, Merlín abrió las manos y sacó de la nada un par de patatas y un puñado de setas silvestres. "Ensártalas en una broqueta y ponlas a tostar sobre el fuego, por favor", dijo.

Arturo obedeció sin más. Tenía unos diez años y la única persona a quien conocía era Merlín. Estaban juntos desde que tenía memoria. Seguramente había tenido madre pero no tenía el más mínimo recuerdo de su rostro.

El anciano de luenga barba blanca había reclamado su derecho sobre el infante real a las pocas horas de su nacimiento.

"Soy el último guardián del sendero del mago", dijo Merlín. "Y quizás tú seas el último en conocerlo".

Poniendo las broquetas sobre el fuego, Arturo miró sobre el hombro. La curiosidad le había picado. ¿Merlín un mago?

Nunca lo había pensado. Los dos vivían solos en el bosque, en la cueva de cristal. El brillo de la cueva les proporcionaba la luz. Arturo había aprendido a nadar convirtiéndose en pez. Cuando deseaba comida, ésta aparecía, o Merlín le daba un poco. ¿Acaso no era así como todo el mundo vivía?

"Verás, dentro de poco te irás de aquí", continuó Merlín. "No vayas a dejar caer esa patata entre la ceniza". Por supuesto, el muchacho ya la había dejado caer. Como Merlín vivía hacia atrás en el tiempo, sus advertencias siempre llegaban demasiado tarde, después de ocurridos los percances. Arturo limpió la patata y la ensartó de nuevo en la broqueta, hecha de la madera verde de un tilo.

"No importa", dijo Merlín. "Ésa puede ser la tuya".

"¿Cómo así que me iré?", preguntó Arturo. Sólo había ido de vez en cuando al pueblo cercano, cuando Merlín deseaba ir al mercado, y en esas ocasiones el mago siempre tenía cuidado de ocultar la identidad de los dos bajo pesadas capas. Pero el muchacho era gran observador, y lo que había visto en los demás le preocupaba.

Merlín miró de soslayo a su discípulo. "Pienso enviarte al pantano o, como dicen los mortales, al mundo. Te he mantenido lejos del pantano durante todos estos años, enseñándote algo que no debes olvidar".

Merlín calló para ver el efecto de sus palabras, y luego continuó: "El sendero del mago".

Tras pronunciar estas palabras, ambos quedaron en silencio, como suele suceder entre quienes llevan mucho tiempo juntos. Anciano y niño casi respiraban al unísono, de tal manera que Merlín debió percibir la inquietud que daba vueltas en la mente de Arturo, cual pantera enjaulada.

Terminada su comida, el muchacho fue a lavarse en el estanque azul que estaba al pie de la colina. Cuando regresó, Merlín tomaba el sol sobre su roca favorita (aunque "tomar el sol" es apenas un decir, puesto que la espesa colcha de nubes se había adelgazado apenas lo suficiente para que un rayo solitario se abriera paso a través de las copas de los árboles para iluminar los cabellos de plata del mago). Las primeras palabras que salieron de la boca del muchacho fueron: "¿Qué será de ti?"

"¿De mí? No te creas tan importante. Podré arreglármelas perfectamente sin ti, gracias". En el instante mismo en que terminó de hablar, Merlín supo que había lastimado los sentimientos del niño. Pero los magos son malos para disculparse. Un hermoso arco hecho de fresno blanco apareció en el suelo al lado de Arturo, quien lo tomó presuroso y comenzó a tensarlo. En su lenguaje privado, sabía que era la forma como el anciano se disculpaba.

"No me preocupa lo que pueda pasarme", continuó Merlín, "sino que se pierda el conocimiento. Como te dije, quizás seas el último en conocer el sendero del mago".

"Entonces me cercioraré de que no se pierda", prometió Arturo.

Merlín asintió con la cabeza. No volvió a tocar el tema del sendero del mago ese día ni durante muchos días más. Sin embargo, una mañana de junio, al despertarse, Arturo encontró su cama de ramas de pino cubierta de nieve. Tembló de frío y se sentó, lanzando al aire una nube de copos blancos al sacudir su cobija de piel de venado.

"Creí que hacías esto sólo en diciembre", dijo, pero Merlín no contestó. Estaba inmóvil en medio del círculo de nieve que cubría su campamento. Ante él había una extraña aparición: una enorme roca con una espada que sobresalía de ella. A pesar del frío, la roca no tenía nieve y la hoja de la espada se proyectaba en el aire, deslumbrando con el brillo de su metro y medio de acero damasquino martillado.

"¿Qué es eso?", preguntó Arturo. La vista de la roca lo conmovió profundamente, aunque no entendió por qué.

"Nada", replicó Merlín. "Sólo recuérdala".

Un momento después, la espada en la roca comenzó a desvanecerse, y cuando Arturo regresó de su baño matinal, el claro del bosque estaba tibio nuevamente, el sol había fundido hasta el último copo de nieve y la roca se había esfumado como un sueño. El niño sintió ganas de llorar, porque sabía que la aparición era el gesto de despedida de Merlín, de despedida y de recuerdo.

Lo que le sucedió a Arturo cuando salió al mundo es ahora leyenda. Con el tiempo se encontró en Londres, en una nevada mañana de Navidad, a las puertas de la catedral donde la espada en la roca había reaparecido misteriosamente. Para asombro de la gente que salía de la iglesia, retiró la espada y reclamó su derecho a ser rey. Libró largas y crueles batallas para vencer a una horda de rivales que pretendían el trono, y luego estableció en Camelot la sede de su poder. Todos los días vivió de acuerdo con las enseñanzas del mago. Finalmente falleció y se convirtió en historia. Quedó como tarea a las generaciones posteriores averiguar lo que Merlín le había enseñado a su discípulo durante esos años en el bosque, antes de que Arturo se allegara a la roca y tomara el destino por su empuñadura engastada de joyas.

El mundo de Arturo desapareció poco después de la caída de Camelot. El reino cayó presa nuevamente de las luchas intestinas y la ignorancia, y Merlín demostró haber sido el último de su clase, tal como lo había pronosticado. Después de él, no se registra en la historia de Occidente el nombre de ningún otro mago.

Pero Merlín nunca creyó que la sabiduría del mago dependiera de la forma como se desenvolvió la historia. "Lo que sé está en el aire", solía decir. "Respíralo y lo hallarás". Los magos conocían cosas atemporales y, por lo tanto, la reserva de su conocimiento debe estar por fuera del tiempo. El camino está abierto. Comienza en todas partes y no lleva a ninguna, pero aun así conduce a un sitio real. Todo esto se nos presenta a los ojos a medida que escuchamos a Merlín.

Primera lección

Hay un mago dentro de cada uno de nosotros
— un mago que lo ve y lo sabe todo.
El mago está más allá de los contrarios de luz
y oscuridad, bien y mal, placer y dolor.
Todo lo que el mago ve tiene sus raíces
en el mundo invisible.
La naturaleza refleja los estados de ánimo del mago.
El cuerpo y la mente podrán dormir,
pero el mago vela permanentemente.
El mago posee el secreto de la inmortalidad.

"Toma", dijo Merlín un día, mientras ponía un plato de sopa delante del joven Arturo. "Prueba".

Arturo lo hizo, no sin vacilar. Era un potaje exquisito de carne de venado y raíces silvestres, misteriosamente sazonado por Merlín en un momento en que Arturo le daba la espalda. En realidad, la sopa estaba deliciosa y Arturo se apresuró a hundir la cuchara de nuevo, justo en el momento en que le arrebataban el plato de las manos.

"Espera, quiero más", masculló con la boca llena todavía. Merlín sacudió la cabeza. "Todo el banquete está en esa primera cucharada", le advirtió.

Al principio, Arturo sintió una oleada de frustración y desilusión, pero luego se dio cuenta de que se sentía satisfecho, como si hubiese consumido todo el plato. Más tarde, mientras dormitaba debajo de un árbol, Merlín se aproximó y le dejó un plato lleno de sopa al lado. Mientras se alejaba, el mago murmuró: "Sólo recuerda: ¿De qué me habrían servido todos esos años en la escuela de magia, si no hubiera podido enseñártelo todo en la primera lección?"

Para comprender la lección

Se necesita toda una vida para aprender lo que el mago tiene para enseñar, pero todo lo que ha de desenvolverse a través de años y decenios está a nuestro alcance en la primera lección de Merlín. En ella el mago se presenta. Describe su enfoque ante la vida, consistente en resolver los enigmas más profundos de la mortalidad y la inmortalidad. Y todo eso sucede en forma mágica. En primer lugar, Merlín no se presenta realmente en forma física. Las formas le tienen sin cuidado. Ha visto el pasar de muchos mundos, ha sobrevivido a siglos de cataclismos, y su reacción ante todo es la misma: él ve.

Los magos son videntes. ¿Qué ven? La realidad en su conjunto, no en sus diversos componentes.

"¿Siempre fuiste mago?", preguntó el joven Arturo.

"¿Cómo habría podido serlo?", contestó Merlín. "En un tiempo iba por ahí como tú y, cuando miraba a una persona, lo único que veía era una forma de carne y hueso. Pero con el tiempo comencé a notar que las personas habitan en una casa que se extiende más allá de ese cuerpo — las personas infelices, con emociones encontradas, viven en casas desordenadas; las personas felices y satisfechas habitan en casas ordenadas. Fue una observación simple, pero después de un tiempo concluí que cuando veo una casa, en realidad estoy viendo un poco más de la persona.

"Después se amplió mi visión. Cuando veía a una persona, no podía evitar ver también a su familia y a sus amigos. Ésas eran extensiones de la persona, que me decían mucho más acerca de quién era ella en realidad. Y mi visión continuó expandiéndose. Comencé a ver debajo de la máscara de la apariencia física. Vi emociones, deseos, temores, anhelos y sueños. También éstos son parte de una persona, si se tienen los ojos para apreciarlos.

"Comencé a observar la energía que emana de cada persona. Para entonces, el conjunto físico de carne y huesos había pasado a ser casi insignificante para mí, y al poco tiempo veía mundos dentro de mundos en todas las personas con quienes me encontraba. Entonces me di cuenta de que todo ser vivo es el universo entero, sólo que cada vez lleva un disfraz diferente".

"¿Eso es posible realmente?", preguntó Arturo.

"Llegará el día en que te darás cuenta de que todo el universo vive dentro de ti, y entonces serás un mago. Como mago, no vives en el mundo, el mundo vive dentro de ti.

"Durante centurias la gente ha buscado a los magos donde quiera que se encuentren — en bosques impenetrables o en cuevas, torres o templos. El mago también ha existido con distintos nombres — filósofo, mago, vidente, chamán, gurú. 'Dinos por qué sufrimos. Dinos por qué envejecemos y morimos. Dinos por qué somos tan débiles para forjarnos una buena vida'. Sólo ante el mago han podido los mortales descargarse de tantos interrogantes difíciles.

"Tras escuchar atentamente, los magos, maestros y gurús han respondido siempre lo mismo: 'Puedo resolver toda esa masa de ignorancia y dolor sólo si tú comprendes una sola cosa. Yo estoy dentro de ti. Esta otra persona con quien crees estar hablando no es distinta. Somos una sola persona y en ese nivel en el cual estamos unidas, ninguno de tus problemas existe'".

Una vez que Arturo se lamentó de que Merlín lo mantenía en el bosque y apenas le permitía vislumbrar el mundo de vez en cuando, el anciano se burló: "¿El mundo? ¿Cómo crees que viven esas personas, aquéllas que has visto en el pueblo? Se preocupan por el placer y el dolor, y buscan ansiosas el primero mientras evitan desesperadamente el segundo. Están vivas, pero desperdician la vida y se preocupan por la muerte. Viven obsesionadas por la riqueza o la pobreza, y esa obsesión alimenta sus temores más profundos".

Por fortuna, el mago interior no experimenta nada de eso. Puesto que ve la verdad, no ve la falsedad, porque el juego de los contrarios — placer y dolor, riqueza y pobreza, bien y mal — parece real sólo hasta el momento en que se aprende a ver dentro del marco más amplio del mago. Sin embargo, es imposible negar que ese drama de la vida cotidiana es muy real para las personas comunes y corrientes. La apariencia exterior de la vida *es* la vida, si lo único en lo cual uno cree es en lo que le dicen los sentidos, lo que uno ve y siente.

Los mortales han buscado a los magos para resolver su obsesión por las apariencias y su anhelo por encontrar significado. Debe haber algo más allá de lo que estamos viviendo, pensaron los mortales, sin saber exactamente lo que ese algo más podría ser. "Dedica tiempo a reflexionar no sobre *lo que* ves, sino sobre *por qué* lo ves", le aconsejó Merlín a Arturo.

Por consiguiente, la primera lección se reduce a lo siguiente: Es preciso mirar más allá del yo limitado para ver el yo ilimitado. Perforar la máscara de la mortalidad para encontrar al mago. Él vive dentro de nosotros y solamente ahí. Una vez que lo hallemos también seremos videntes. Pero aquello que hemos de poder ver llega solamente a su propio ritmo, paso a paso. Antes de verlo, vendrá la sensación de que la vida es algo más de lo que estamos viviendo. Es como una voz suave que susurra: "Encuéntrame". Esa voz que llama es tranquila, calmada, está en paz dentro de sí misma, pero también es esquiva. Es la voz del mago, pero también es nuestra voz.

Para vivir la lección

Las frases de Merlín operan sutilmente, como el agua que se cuela dentro de la tierra. El agua que hoy brota en manantiales cayó en forma de lluvia hace miles, hasta millones de años. Nadie sabe mayor cosa sobre la vida de esta agua oculta, a dónde va, qué le sucede entre las rocas del subsuelo. Pero un día, liberada por la gravedad, sale de las profundidades oscuras y, como por encanto, brota pura y fresca.

Así sucede con Merlín. Si nos sentamos en silencio y escuchamos durante algunos minutos, las palabras comenzarán a penetrar. Hay que dejar que eso suceda y después permitir que la sabiduría haga lo suyo. No hay que esperar ni prever ningún resultado, sino estar atentos a lo que pueda suceder. Cualquier cosa que suceda será buena.

La primera lección es sobre encontrar al mago y apreciar su punto de vista, el cual es muy diferente del adoptado por la mente o las emociones. Las emociones sienten y reaccionan. Son inmediatas, como los tentáculos de la anémona de mar que se retuercen instantáneamente en respuesta a una sensación. El dolor provoca la contracción emocional; el placer genera un sentimiento de expansión y liberación.

Por otro lado, la mente es menos inmediata. Lleva un registro gigantesco de recuerdos, los cuales le agrada repasar constantemente. Compara los nuevos con los viejos y toma una decisión: esto es bueno, aquello es malo, esto vale la pena repetirlo, aquello no. Así, las emociones generan una respuesta inmediata, impensada frente a cualquier situación, como el bebé que sonríe o llora espontáneamente. Pero la mente consulta su banco de memoria y proporciona una reacción retardada.

El mago no reacciona de ninguna de estas dos maneras, ni inmediata ni tardíamente — Merlín sencillamente es. Ve el mundo y le permite ser como es. Sin embargo, no es un acto pasivo. La base de todo lo que existe en el mundo del mago descansa sobre el conocimiento de que "Todo esto soy yo mismo". Por lo tanto, al aceptar el mundo como es, el mago lo ve todo bajo la luz de la auto-aceptación, que es la luz del amor.

Parece extraño que la definición del mago sobre el amor esté envuelta en silencio. Para las emociones, el amor es una oleada de sentimiento, una atracción muy activa hacia un estímulo abrumador. La mente tiene sus propios estilos, pero no son muy distintos: la mente ama todo aquello que le repite un recuerdo placentero del pasado. "Me encanta esto" básicamente quiere decir: "Me encanta repetir eso que fue tan maravilloso antes". Por consiguiente, tanto la mente como las emociones son selectivas. Seleccionar y escoger no tiene nada malo, pero demanda esfuerzo. Aunque a todos nos han enseñado que el esfuerzo es bueno, que nada puede lograrse sin trabajo, eso no es cierto. La existencia no se logra con esfuerzo; el amor no se logra con esfuerzo.

En un plano más sutil, la selección y la escogencia también implican rechazo. La mente se concentra en una cosa a la vez. Antes de poder decir: "Me agrada eso", es necesario rechazar todas las demás opciones. Las cosas que solemos rechazar tienen un viso de temor. La mente y las emociones no son imparciales ante el dolor y el sufrimiento; los temen y rechazan. Este hábito de seleccionar y escoger acaba por demandar mucha energía, puesto que nuestra mente permanece vigilante, constantemente alerta para cerciorarse de que jamás se repitan el dolor, la desilusión, la soledad y muchas otras experiencias dolorosas. ¿Qué espacio le queda al silencio?

Sin silencio el mago no tiene espacio. Sin silencio no es posible apreciar realmente la vida, cuyas fibras más sutiles son tan delicadas como un botón de rosa. Cuando los mortales recurrían a los magos para pedirles consejo, lo hacían porque se daban cuenta de que ellos no vivían atemorizados. Los magos aceptan, incluso acogen, todo lo que les sucede. "¿Cómo logran tener esa paz?" les preguntaban los mortales. Y la respuesta de los magos era: "Busquen dentro de ustedes mismos, donde sólo hay paz".

Así, el primer paso hacia el mundo de Merlín es reconocer que existe — con eso basta. Al sentarse a reflexionar sobre esta lección es probable que la mente se rebele, rechazando la noción misma de que exista otro punto de vista válido, un camino distinto al propio. Las emociones quizás se unan a esa ola de desconfianza, angustia, aburrimiento, escepticismo y desdén, lo que sea que surja. No hay que resistirse a esos sentimientos. Sencillamente son la forma habitual de seleccionar y escoger. Rechazando la mente se coloca en primer plano. Durante años nos ha servido fielmente, alejando de nosotros las cosas desagradables. La pregunta es si las tácticas de la mente realmente han funcionado. Es probable que la mente logre hacernos inteligentes, pero está mal equipada para darnos la felicidad, la realización y la paz.

Merlín no discute con la mente. Todos los debates son

producto del pensamiento, y el mago no piensa. El mago observa. Y ahí está la clave de lo milagroso, porque todo lo que vemos en nuestro mundo interior podemos hacerlo realidad en el mundo exterior. Vivamos la primera lección, permitamos que el agua de la sabiduría se cuele a través de pasajes secretos hacia el interior de nuestro ser, y observemos. El mago está dentro de nosotros y solamente ansía una cosa: nacer.

Segunda lección

*La magia sólo podrá retornar con el regreso
de la inocencia.
La esencia del mago es la transformación.*

Todas las mañanas, el joven Arturo bajaba al estanque del
bosque a lavarse. Como todo niño, el baño no era su tarea
preferida y muchas veces se quedaba por el camino, distraí-
do con el parloteo de las ardillas rojas, las urracas o con cualquier otra cosa que le atrajera más que el agua y el jabón.

Merlín realmente no prestaba mayor atención a toda la
mugre que se apilaba en el rostro de su pupilo, alrededor del
cuello y por todas partes. Pero llegó el día en que el mago
estalló: "¡Podría sembrar fríjoles detrás de tus orejas! No me
importa si solamente pasas un minuto en el estanque, pero
haz algo allí".

Arturo agachó la cabeza y dijo: "He tenido miedo de
confesártelo, Merlín, pero cuando me inclino sobre el agua
no puedo ver mi propio reflejo. No veo dónde lavarme, ni
siquiera sé cómo soy".

Para desconcierto del niño, cuando alzó la cabeza Merlín
estaba a su lado y se veía dichoso. "Toma", le dijo, colocando
una gran esmeralda en la mano del niño como premio (Arturo
la utilizó posteriormente para saltar por encima del agua).

"Creí que tu desobediencia era señal de que habías perdido tu inocencia, pero veo que me equivoqué. La ausencia del reflejo significa que no tienes imagen de ti mismo. Cuando la imagen de ti mismo no te distrae, sólo puedes estar en estado de inocencia".

PARA COMPRENDER LA LECCIÓN

La inocencia es nuestro estado natural, antes de quedar oculto detrás de nuestra imagen de nosotros mismos. Cuando nos miramos, incluso con la intención de ser totalmente sinceros, vemos una imagen construida a través de los años, de capas complejamente entretejidas. Las líneas y arrugas que surcan nuestro rostro cuentan la historia de alegrías y tristezas pasadas, triunfos y derrotas, ideales y experiencias. Es casi imposible ver algo distinto en él.

El mago se ve a sí mismo donde quiera que mira porque su vista es inocente. No está nublada por los juicios, los rótulos y las definiciones. El mago sabe de todas maneras que tiene ego e imagen de sí mismo, pero no se deja distraer por esas cosas. Las ve contra el telón de la totalidad, el contexto completo de la vida.

El ego es el "yo"; es nuestro punto de vista singular. En la inocencia, ese punto de vista es puro, como un lente transparente. Pero sin la inocencia, el foco del ego se distorsiona notablemente. Cuando creemos conocer algo — incluidos nosotros mismos —, en realidad estamos viendo nuestro propios juicios y rótulos. Las palabras más simples que utilizamos para describirnos unos a otros — *amigo, familia, extraño* — están cargadas de juicios. La brecha enorme de significado que separa al *amigo* del *extraño*, por ejemplo, está llena de interpretaciones. Al amigo se le trata de una forma, al enemigo de otra. Aunque no traigamos nuestros juicios a la superficie, ellos nublan nuestra visión como el polvo que oscurece un lente.

Al no tener rótulos para nada, el mago ve las cosas siempre nuevas. Para él el lente está limpio, de manera que el mundo resplandece de novedad. En todo escucha la misma canción sutil: "Contémplate". A Dios se lo podría definir como alguien que al mirar a su alrededor sólo se ve a sí mismo — o misma — en todas las direcciones; en la medida en que fuimos creados a su imagen y semejanza, nuestro mundo también es un espejo.

A los mortales les pareció muy extraño este punto de vista mágico, porque tenían su interés puesto en una dirección totalmente diferente. Quedaron fascinados ante las cosas que vieron afuera, y desearon ponerles nombre y utilizarlas. Era preciso dar un nombre a todas las aves y los animales. Era preciso cultivar las plantas para obtener alimento o placer. Las tierras estaban allí para ser exploradas y conquistadas.

Merlín no mostró mayor interés en todo eso. Los magos a veces desconocen los nombres de las cosas más comunes, como roble, ciervo o las constelaciones. Sin embargo, un mago podría pasar horas mirando el tronco retorcido del roble, a un ciervo pastando o el cielo estrellado, y en cada momento de su contemplación estaría totalmente absorto.

Los mortales quisieron participar de esa forma de arrobamiento. Cuando preguntaron el secreto para mirar al mundo con nuevos ojos, con deleite, Merlín les contestó: "Ustedes han perdido la inocencia. Como le han dado nombre a las cosas, ya no ven las cosas sino sus rótulos". Eso era bastante fácil de ilustrar. Cuando dos caballeros que no se conocían se encontraban en el bosque, inmediatamente buscaban el emblema o pendón que les permitiera saber si se hallaban frente a un amigo o a un enemigo. Tan pronto como veían la insignia, podían actuar, pero no antes. El amigo podía ser abrazado, invitado a compartir el banquete y animado a contar sus historias. El enemigo solamente podía ser atacado.

Merlín decía que esta obsesión por denominar las cosas es la actividad de la mente, pura y simple. La mente no puede reaccionar si no hay rótulo. Todos llevamos millones de rótulos en la cabeza y la mente es capaz de consultarlos a una velocidad asombrosa. La velocidad de la mente es sorprendente, pero no nos salva del estancamiento. Todo aquello en lo que podemos pensar ya lo hemos experimentado, y todo aquello que hemos experimentado puede llegar a cansarnos. "¿Se preguntan por qué no pueden contemplar un roble o un venado o una estrella durante más de un minuto?" decía. "Puedo oír la queja de sus mentes: '¡Que aburrición, es lo mismo de antes!' Y ahí van, ansiosos de encontrar algo nuevo".

"No veo dónde está el problema", le dijo un día uno de los ancianos de la aldea. "El mundo es grande y la naturaleza está llena de aspectos y transformaciones fascinantes".

"Eso es muy cierto", reconoció Merlín, "pero según ese argumento, nada debería ser viejo y aburrido. Nadie niega la infinidad de cosas que existen *allá afuera*. Pero los mortales se quejan constantemente del aburrimiento, ¿no es así?" El anciano asintió.

"Sin embargo, has pronunciado la palabra acertada", continuó Merlín. "*Transformación*. Pero es tu propio yo el que debe estar en constante transformación. No puedes traer al mundo a tu viejo yo y pretender ver un mundo enteramente nuevo".

El mago nunca ve la misma cosa de la misma manera dos

veces. Así, cuando observa en el bosque, no está absorto tanto en la vista del ciervo como en alguna nueva faceta de su ser: su suavidad, gracia, timidez o delicadeza. Cuando el ojo se renueva, cualquiera puede ver esas cualidades. Éstas se abren como los pétalos de una rosa. Es preciso tener paciencia, pero vale la pena esperar. La inocencia es la única flor que existe. Jamás se marchita y, por lo tanto, tampoco el mundo.

PARA VIVIR LA LECCIÓN

Cuanto termine de leer la lección, dedique unos momentos a tratar de recuperar un toque de inocencia. Es más fácil de lo que imagina. Lo primero que debe saber es qué *no* debe hacer. No juzgue su estado actual. Es probable que esté cansado o deprimido, o que sienta la necesidad de desfogar gran cantidad de ira, temor o culpa. Olvide todo eso por un momento, porque la inocencia, como enseña Merlín, está más allá de la mente.

Sólo mire esta lista de palabras:

Pesado

Liviano

Negro

Blanco

Sol

Luna

Tomando cada una de esas palabras separadamente, experimente esas cualidades. No importa si usted es el tipo de persona que trae a la mente imágenes en lugar de sentimientos, o conceptos en lugar de objetos concretos. Todos los sistemas sirven. ¿Se dio cuenta de que a la mente le es imposible evitar tener alguna sensación de peso, liviandad, blanco, negro, etc.? De hecho, ni siquiera pudo leer las palabras sin generar por lo menos un leve sabor de cada cualidad.

Para que estas cualidades existan se necesita de su participación. Si usted participa de manera inocente, las cualidades se presentarán nuevas, renovadas. Así es como ve el pintor. Mira una cesta de frutas, un barco, una nube, pero en lugar de ser receptor pasivo de todas esas cosas, las crea a través de su visión. Las dota de su propio espíritu.

Y lo mismo hacemos todos, hasta en el acto más simple de ver una cosa ordinaria. Esta experiencia demuestra que la inocencia no se pierde, solamente se oculta. El secreto para ver con inocencia es mirar desde un nuevo punto de vista, *uno que no esté condicionado por lo que se espera ver*.

"Si realmente pudieras ver ese árbol que está allá", dijo Merlín, "te caerías del asombro".

"¿En serio? Pero, ¿por qué?", preguntó Arturo. "Es sólo un árbol".

"No", dijo Merlín. "Es sólo un árbol en tu mente. Para otra mente es una expresión de espíritu y belleza infinitos. En la mente de Dios es un hijo querido, más dulce que cualquier cosa que puedas imaginar".

Mientras la mente pueda registrar el color, la luz, la densidad y la sensación del mundo, *se estará percibiendo a sí misma*. La palabra *pesado* o *blanco*, crea una sensación dentro de nosotros que le pertenece sólo a cada uno. No existen la pesadez ni la blancura "allá afuera" sin que las percibamos; no existen la vista, el oído, el tacto, el gusto o el olfato sino como una chispa pequeña de la consciencia. Enviemos una cámara a la Luna para tomar fotografías de todos los cráteres y valles, y traigámosla de regreso a la Tierra. Si no hay un ser humano que vea la fotografía, no hay imagen, solamente agentes químicos que han reaccionado a una disposición momentánea de los fotones. La película estará tan muerta como la Luna misma. Merlín diría que si no hay quien mire la imagen de la Luna, tampoco hay Luna.

Por lo tanto, es de vital importancia ver el mundo inocentemente, porque es la única forma como adquiere vida. El ojo imprime vida a todo lo que ve. Detrás de cada molécula de existencia deben estar la consciencia y la inteligencia; de lo contrario, el universo sería un torbellino aleatorio de gases inertes y estrellas muertas, un vacío penando por recibir la semilla del nacimiento. Sin la inteligencia no hay vida, solamente actividad. Cada mirada que echamos por la ventana pone la semilla de la vida en la creación. Por esa razón Merlín tomaba tan en serio su tarea de observar los robles, los ciervos y las estrellas. No deseaba que murieran; amaba la vida.

Esta lección se resume diciendo: "Mira con inocencia y serás dador de vida". Ése es el credo mágico al cual se atenía Merlín. A los mortales les era difícil comprender algo tan simple porque iba en contra de su prejuicio más hondo, a saber: "El mundo es primero y después soy yo". Pero nosotros mismos no estaríamos vivos de no ser porque algún Ser inocente nos vio primero. Ése fue el acto que plantó la semilla de todo el universo, y fue un acto de amor. Conoceremos nuevamente nuestra inocencia cuando veamos el amor que palpita en cada brizna de la creación.

Tercera lección

El mago observa los ires y venires del mundo,
pero su alma habita en el ámbito de la luz.
El paisaje cambia, el observador permanece igual.
El cuerpo es sólo el sitio al que los recuerdos
llaman hogar.

Merlín prefería evitar que lo vieran los mortales, pero en ocasiones se le podía ver una tarde de verano haciendo equilibrio en un pie, al borde de un campo. Los campesinos curiosos se le acercaban, pero Merlín permanecía como una estatua, sin emitir sonido alguno o reconocer su presencia.

En esas ocasiones, Arturo pensaba que su maestro parecía una garza vieja acechando a un pez en el pantano. Un día, después de que Merlín había pasado horas contemplando el estanque, el niño no resistió la tentación de preguntarle qué era lo que miraba.

"No lo sé con exactitud", contestó Merlín. "Vi una libélula y quise mirarla más de cerca. Se atravesó en mi camino como un sueño fugaz, pero al cabo de un momento olvidé si la libélula era mi sueño o si yo era el de ella".

"¿No es obvia la respuesta?", preguntó Arturo.

Merlín le propinó un golpecito en la cabeza y le dijo: "Tú crees que tus sueños existen aquí adentro. Pero como yo me encuentro en todas partes, ¿cómo puedo saber cuál parte de mí sueña a otra?"

Para comprender la lección

Al mago que llevamos dentro también podríamos llamarlo testigo. El papel del testigo es no intervenir en el mundo cambiante, sino ver y comprender. El testigo no descansa — permanece despierto aun mientras soñamos o dormimos sin soñar. Por lo tanto, no necesita ver a través de nuestros ojos, lo cual parece bastante mágico. ¿No son acaso los ojos los órganos esenciales para ver?

La energía y la información son fundamentales para cualquier cosa que podamos ver, oír o tocar en el mundo relativo — cada átomo se puede descomponer en esos dos elementos. Sin embargo, en su estado primordial esos ingredientes no tienen forma. Un haz de energía puede alejarse en un remolino informe como una bocanada de humo; la información se puede descomponer en trozos aleatorios de datos. Se necesita otra fuerza para organizar el orden maravilloso de la vida: la inteligencia. La inteligencia es lo que aglutina al universo.

Para el mago, ésta no es una noción teórica porque puede ver con su propio ojo interior que *él es esa inteligencia*. Los mortales se desconciertan ante este concepto, puesto que no pertenece a la mente. Están acostumbrados a saber las cosas, pero no a la *sabiduría* misma. "El mortal más brillante", dijo Merlín, "no es mejor que el más idiota tan pronto como ambos se duermen. Los dos tienen las mismas pesadillas y se preocupan por la muerte. El temor nace con ellos y no pueden disfrutar el más nimio de los placeres sin saber que al poco tiempo se desvanecerá".

La sabiduría del mago permanece presente incluso durante el sueño. La inteligencia universal siempre despierta, consciente y que todo lo sabe, no es para el mago una fuerza creadora distante. Vive en cada átomo. Es el ojo detrás del ojo, el oído detrás del oído, la mente detrás de la mente.

Por lo tanto, el mago no necesita estar despierto con los ojos abiertos para ver. En el sentido más profundo, podemos ver mientras dormimos o soñamos, porque ver significa estar despiertos a la inteligencia universal. Cuando el testigo está totalmente presente, todo es comprensible.

El conocimiento del mago es sabiduría pura que no depende de los hechos externos. Es el agua de la vida tomada directamente de su fuente. Sin importar los cambios que ocurran en el universo, la sabiduría del mago no puede cambiar — el paisaje va y viene pero el observador es siempre el mismo. Antes de hallar al mago en nuestro interior, todos dependemos de los sentidos y de la mente para saber lo que sabemos. Nuestro conocimiento es aprendido. Está almacenado en la memoria y catalogado de acuerdo con las cosas que nos interesan; por consiguiente, es selectivo. El conocimiento del mago es innato.

En una ocasión, Arturo casi muere de susto cuando Merlín salió corriendo como si estuviera loco, blandiendo un enorme cuchillo de carnicero.

"¿Qué haces?", preguntó el aterrorizado muchacho.

"Estoy pensando", contestó Merlín. "¿Acaso tú no piensas así?"

"No", dijo Arturo.

Merlín se detuvo y dijo: "Ah, entonces debo estar equivocado. Tenía la impresión de que la mayoría de los mortales utilizaban la mente como un cuchillo, para cortar y disecar. Quería saber cómo era. Si me permites decirlo, hay mucha violencia oculta en lo que ustedes los mortales llaman racionalidad".

La mente del mago es como un lente que toma lo que ve y lo deja pasar sin distorsionarlo. La ventaja de ese tipo de consciencia es que unifica, mientras que la mente racional separa. La mente racional observa "en el exterior" un mundo de objetos en el tiempo y el espacio, mientras que el mago lo ve todo como parte de sí mismo. En lugar del "exterior" y el "interior", existe una sola corriente unificada.

De ahí que Merlín dijera que no sabía si era él quien soñaba con la libélula o si la libélula era la que soñaba con él. Sólo hay diferencia en la separación, tal como la ve la mente. Para el ojo del mago, los dos son una misma cosa.

PARA VIVIR LA LECCIÓN

No es fácil explicar en qué consiste ser testigo. En el estado normal de vigilia, todos vemos objetos, pero el testigo ve *luz*. Se ve a sí mimo como un foco de luz y al objeto como otro, pero todo dentro del contexto de un gran ámbito cambiante donde sólo hay luz.

La *luz* es una metáfora para hablar de los estados elevados del ser. Cuando una persona que ha tenido una experiencia cercana a la muerte dice: "Entré dentro de la luz", quiere decir que experimentó un plano más sutil de sí misma. La luz puede asumir la imagen del cielo o de otro mundo, pero para el mago nuestro mundo corriente también es sólo una imagen, proyectada igualmente desde la consciencia.

"Toda consciencia es luz", decía Merlín, "y toda luz es consciencia". Las fronteras que inventamos para dividir el cielo y la Tierra, la mente y la materia, lo real y lo irreal, son solamente mecanismos de conveniencia. Puesto que hemos inventado las fronteras, podemos hacerlas desaparecer con la misma facilidad.

Observe atentamente esta página. Para usted es un objeto. Es sólida en la medida en que está hecha de fibras de madera convertidas en papel, pero es abstracta en el sentido de que está hecha de ideas. ¿Es una página una cosa de papel, una cosa de ideas, o ambas cosas? Note con cuánta facilidad puede percibirla como las dos cosas, pero note también que no puede ver ambas cosas al mismo tiempo. En otras palabras, las distintas realidades pueden coexistir, pero cada una respeta su propio nivel de existencia. Una palabra no es otra cosa que puntos de tinta en un nivel, pero es la clave de una idea en otro.

Todos los estados de existencia, desde el más sutil e inmaterial hasta el más grosero y sólido, dependen del observador. Si quisiéramos, podríamos disolver la página sólida y convertirla en nada, de la siguiente manera: una hoja está hecha de papel, el papel está hecho de moléculas, las moléculas están compuestas de átomos, los átomos son haces de energía a nivel cuántico, y los haces de energía son espacio vacío en un 99.99999 por ciento. Puesto que la distancia entre un átomo y otro es bastante grande — proporcionalmente mayor que la distancia entre la Tierra y el Sol — podemos decir que esta página es sólida sólo si estamos dispuestos a decir que el espacio que nos separa del Sol es sólido.

Esta experiencia de convertir las cosas aparentemente sólidas en nada puede hacerse también al contrario. Comenzando con un espacio "vacío", podemos añadir haces de energía, átomos, moléculas y así sucesivamente por la cadena de la creación hasta llegar al objeto que querramos, incluido nuestro propio cuerpo. La mano que da vuelta a esta página es una nube de energía y la única forma de sentirla o de que ella sienta la página es a través de un acto de consciencia. Otros haces de energía, como la luz ultravioleta que nos rodea, escapan totalmente a nuestra percepción. Por lo tanto, los ires y venires del mundo dependen enteramente del poder de la percepción. Fuimos creados como videntes a fin de que el mundo existiera como algo para ver. Sin los ojos, el mundo sería invisible.

Ahora podemos tomar esta noción y dar un paso más. Todo lo que existe sobre la Tierra se nutre con el Sol, el cual es una estrella. El alimento que consumimos se transformó a partir de la luz de una estrella y, al consumirlo, nosotros creamos un cuerpo proveniente de la misma fuente. En otras palabras, el hecho de comer un alimento no es otra cosa que el acto de una luz que consume luz. Esta luz, aunque adopta muchas formas, desde espirales gaseosas y quásares hasta un conejo que roe la hierba, es sólo una. No existe en un sitio, sino que está en todas partes. Sentimos que estamos en un sitio, pero eso es cierto solamente porque en este momento estamos dedicados al acto de suprema creación consistente en convertir el universo de luz en un solo foco denominado cuerpo y mente.

"Desearía hacer milagros", suplicó Arturo un día.

"Este mundo existe gracias a ti", replicó Merlín. "¿No te parece suficiente milagro?"

El mago lleva este razonamiento mágico hasta lo último. Si la vista hace visible al mundo, pregunta: ¿Qué o quién es el creador de la vista? ¿Quién vio al ojo antes de que éste pudiera ver? La respuesta es la consciencia. El vidente tras el ojo es simplemente la consciencia misma, la cual da vida a nuestros sentidos para que ellos puedan dar vida a todo lo que nos rodea.

Éste no es un misterio metafísico. Dentro del útero de la

madre, el embrión comienza la vida como un sola célula, sin órganos de los sentidos; después evoluciona en múltiples células que se agrupan en regiones específicas, que a su vez se concentran en diversas funciones; y finalmente, esas funciones emergen en forma de ojos, oídos, lengua, nariz y demás. Un ojo es muy distinto de un oído, pero la diferencia de sus formas es engañosa. Todos nuestros sentidos estaban contenidos en forma de información codificada, en esa primera célula fecundada.

La información no es más que consciencia hecha manifiesta en una forma almacenable — como este libro. Si no supiéramos lo que es un libro, diríamos que es simplemente una colección de signos de un código extraño, cuando en realidad es un canal para que una consciencia se comunique con otra.

Desde el punto de vista de Merlín, el mundo entero era para él una forma de hablar consigo mismo. "Si alguna vez olvidas algo", le dijo a Arturo, "el bosque te lo recordará".

"He olvidado muchas cosas que el bosque no me recordó", protestó el niño.

"No es cierto", replicó Merlín. "De lo único que puedes olvidarte es de ti mismo, y eso lo puedes encontrar bajo cada árbol".

¿Por qué existe el mundo? Porque una vasta consciencia quiso escribir el código de la vida y desplegar sus hebras en la página del tiempo. De ahí que el mago no pueda saber dónde termina su cuerpo y dónde comienza el mundo. ¿Está usted soñando con este libro, o es el libro el que sueña con usted?

Cuarta lección

¿Quién soy yo? es la única pregunta que vale la pena
hacerse y la única que nunca se responde.
Nuestro destino es representar una infinidad
de papeles, pero esos papeles no somos nosotros mismos.
El espíritu no tiene lugar, pero deja tras de sí
una huella a la cual llamamos cuerpo.
Un mago no se considera a sí mismo un suceso local
que sueña un mundo más grande.
Un mago es un mundo que sueña sucesos locales.

Merlín desapareció del mundo de Arturo durante muchos años; sin embargo, un buen día reapareció y salió del bosque en dirección a Camelot. Dichoso de ver a su maestro, el rey Arturo ordenó un gran banquete en su honor, pero Merlín se mostró perplejo y miró a su antiguo pupilo como si nunca lo hubiera visto.

"Tal vez podría asistir, si eres la persona que creo que eres", dijo Merlín. "Pero, dime la verdad, ¿quién eres?".

Arturo quedó desconcertado, pero antes de que pudiera protestar, Merlín se dirigió a la corte reunida y dijo en voz alta: "Le doy esta bolsa de polvo de oro al que pueda decirme quién es esta persona". E inmediatamente apareció en su mano una bolsa repleta de oro en polvo.

Aturdidos y mortificados, ninguno de los caballeros de la

Mesa Redonda se adelantó. Entonces un joven paje se aventuró a decir: "Todos sabemos que él es el rey". Merlín sacudió la cabeza y expulsó bruscamente al joven de la sala.

"¿Ninguno de ustedes sabe quién es él?", repitió.

"Es Arturo", gritó otra voz. "Hasta un idiota sabe eso". Merlín identificó el sitio de donde venía la voz — del rincón donde estaba una anciana sirvienta — y también le ordenó que abandonara el recinto. Toda la corte zumbaba de confusión, pero el reto del mago no tardó en convertirse en juego.

Comenzaron a oírse varias respuestas: el hijo de Uther Pendragon, el gobernante de Camelot, el soberano de Inglaterra. Merlín no aceptó ninguna de ellas, como tampoco algunas más ingeniosas como hijo de Adán, flor de Albión, un hombre entre los hombres, y así sucesivamente. Finalmente le llegó el turno a la reina Guinevere. "Es mi amado esposo", murmuró. Merlín solamente sacudió la cabeza. Uno por uno, todos abandonaron el gran salón hasta que quedaron solos el mago y el rey.

"Merlín, nos has puesto a todos en una situación embarazosa", admitió Arturo. "Pero estoy seguro de saber quién soy. Por lo tanto, mi respuesta es ésta: Soy tu viejo amigo y discípulo". Tras vacilar unos segundos, Merlín desechó también esta última respuesta, y al rey no le quedó otra alternativa que salir. Sin embargo, movido por la curiosidad, se dirigió hacia una puerta abierta desde donde podía ver el gran salón. Para su asombro, vio cómo Merlín iba hacia una ventana y lanzaba el oro al aire.

"¿Por qué hiciste eso?", gritó sin poder reprimirse.

Merlín alzó la vista. "Tuve que hacerlo", replicó. "El viento me dijo quién eres".

"¿El viento? Pero si no dijo nada".

"Precisamente".

Para comprender la lección

Los magos y los de su especie con frecuencia han preferido no tener nombre ni pertenecer a sitio alguno. No es de su agrado permanecer en un solo lugar, donde podrían llegar a acostumbrarse demasiado a los mortales. "Quien quiera que me llama por mi nombre es un extraño", decía Merlín. "El hecho de que reconozcas mi rostro no significa que me conozcas".

Los magos se consideran ciudadanos del cosmos. Por lo tanto, el sitio exacto donde se les pueda encontrar es irrelevante.

En la vida mortal, lo que nos limita en primero y último lugar son los nombres, los rótulos y las definiciones. Tener un nombre es útil — nos permite saber cuál es el certificado de nacimiento que nos pertenece — pero no tarda en convertirse en una limitación. El nombre es un rótulo. Define un lugar y una hora de nacimiento, en una determinada familia. Al cabo de unos años, el nombre define que vayamos a una determinada escuela, y que después sigamos una determinada profesión. Cuando llegamos a los treinta años, nuestra identidad está encerrada en un cajón de palabras. Las paredes del cajón podrían estar hechas de lo siguiente: "Abogado tributario católico, educado en x universidad, casado, padre de tres hijos y con una hipoteca". Aunque es probable que esos hechos sean exactos, son engañosos. Atrapan a un espíritu incondicionado dentro de unas condiciones.

Muchas de esas limitaciones parecen pertenecernos a *nosotros,* cuando en realidad se refieren únicamente a nuestro cuerpo — y todos somos mucho más que un cuerpo. El mago tiene una relación peculiar con su cuerpo. Lo ve como un haz de consciencia que adopta una forma en el mundo, de la misma manera como las piedras, los árboles, las montañas, las palabras, los deseos y los sueños fluyen y adoptan una forma. El hecho de que un deseo o un sueño no tenga sustancia mientras que el cuerpo es sólido, no perturba al mago. Los magos no tienen el prejuicio común que nos lleva a pensar que "sólido" es sinónimo de "realidad".

El mago no se ve a sí mismo como un suceso local que sueña con un mundo más grande. El mago es un mundo que sueña con sucesos locales. No hay fronteras que lo limiten. Los mortales no podrían vivir sin fronteras. Sus cuerpos definen el lugar donde se encuentran — sin cuerpo no podrían ni siquiera saber cuál es su hogar, puesto que el hogar es el sitio a donde va el cuerpo para refugiarse y descansar.

Sin embargo, Merlín no se consideraba un ser sin hogar. Decía: "Este cuerpo es como un nido al cual llegan mis pensamientos, pero entran y salen tan rápidamente que bien podría decirse que viven en el aire". Suponemos que nuestros pensamientos van y vienen dentro de nuestra mente, pero, nuevamente, no podemos demostrarlo. ¿Quién ha visto un pensamiento antes de que aflore? ¿Quién sigue un pensamiento hasta el sitio a donde va después?

Merlín no comprendía por qué los mortales deseaban aferrarse a sus cuerpos. "Está bien decir que esta envoltura de carne y hueso soy 'yo'", decía, "pero sólo si esa colina, esa pradera y ese castillo también son 'yo'". A los ojos de Merlín, el cuerpo mortal no era mejor que un perchero para colgar las creencias, los temores, los prejuicios y los sueños. Si se cuelgan demasiados abrigos en un perchero, éste desaparece de vista. Eso es lo que los mortales han hecho con sus cuerpos, decía Merlín. Es imposible ver la verdad del cuerpo humano — que es un río de consciencia que corre a través del tiempo —, debido al exceso de peso del pasado que se ha acumulado sobre él.

Para vivir la lección

Para experimentar esta lección, olvide su nombre durante un tiempo. Digamos que la pregunta ¿Quién soy yo? es real en este momento. Escapar del nombre y de la forma implica descubrir quiénes somos en realidad. La mayor parte del tiempo nos experimentamos a través de la limitación. Representar un papel es una limitación y, aun así, todo el mundo asume y descarta papeles todo el tiempo. Recuerde cuando usted era pequeño y su madre era lo más importante del mundo. Usted no imaginaba que ella tuviera otra vida aparte de ser su mamá; la identidad de ella estaba grabada en su mente. Sólo cuando usted creció, se dio cuenta de que ella representaba otros papeles como el de esposa, hermana, hija, profesional y demás. A la mayoría de los niños les es difícil aceptar el hecho de que su mamá tenga una vida propia, y que ésta no gire totalmente alrededor de la maternidad — ése es el egoísmo natural de todos los niños pequeños. Pero con el tiempo aprendemos a meternos en nuestros propios papeles, siguiendo el ejemplo de nuestros padres.

Asumir un gran número de papeles nos parece una forma de ampliar nuestra experiencia. Una mujer que se limita a ser madre podría sentirse abrumada por la vida. En nuestra sociedad, ser "completos" significa representar tantos papeles como sea posible. Pero el mago no ve la situación de esa manera. Para él, ser completo significa liberarse de todos los papeles. "Soy un espíritu libre reducido a la apariencia de este pequeño cuerpo", diría Merlín. "Podemos tapar el Sol con un dedo, ¿pero acaso su luz no llena todo el cielo?"

Dejar de representar papeles no es fácil; sin embargo, para entrar en el mundo del mago es necesario prescindir de los papeles que jugamos. ¿Cuál es, entonces, la experiencia de estar totalmente liberados de los papeles? En realidad es bastante simple. Cuando despertamos en las mañanas, hay un instante antes de comenzar a pensar en las cosas del día, un momento para sentirnos despiertos sin ningún pensamiento en la mente. Somos apenas nosotros mismos, en un estado de consciencia simple. Esta experiencia de simplicidad se repite a intervalos durante el día, pero son pocas las personas que toman nota, porque estamos acostumbrados a identificarnos con el proceso de pensamiento, el cual también tiene lugar durante todo el día. Sin embargo, en realidad *no somos lo que pensamos*.

Quizás le resulte difícil creer esto, pero los pensamientos que pasan por su cabeza no son suyos — le pertenecen al nombre, a los papeles que usted representa. Si usted es una mujer que piensa en su hijo, en cómo le va en la escuela, en qué prepararle para la cena, etc., no es *usted* la que tiene esos pensamientos. Es la *madre*. Cuando en mi consulta pienso en los diagnósticos, las fórmulas y demás, es el *médico* el que está pensando. Los papeles de madre y médico son útiles, claro está, pero llega el momento en que terminan y entonces todos debemos confrontar el enigma de quién somos — enigma que jamás desciframos, independientemente de cuán bien hayamos representado nuestros papeles.

Sin embargo, si usted lo desea, puede trascender el nivel de los papeles en un segundo. Mientras lee, dirija su atención a quien está leyendo. O mientras escucha música,dirija su atención a quien está escuchando. O si ve un arco iris, trate de ver a quien lo está mirando. En todos los casos sentirá inmediatamente una consciencia alerta, despierta, desprendida, silenciosa y, no obstante, intensamente viva. ¿Qué es lo que usted ha hecho en realidad? Ha interrumpido el acto de la observación para vislumbrar al observador. Esta maniobra arroja una luz sobre la certeza absoluta de la existencia, porque más allá de la observación está el observador inmodificable. Este observador es el factor sin tiempo presente en todas las experiencias limitadas por el tiempo; este observador es usted.

La idea de existir fuera del tiempo puede ser atemorizante para quien se identifica fuertemente con el papel que representa. Es enorme el número de personas que se sienten devastadas cuando pierden el empleo, cuando los hijos crecen y se van, cuando fallece su cónyuge amado. Su sentido del "yo" está tan ligado a los nombres, los rótulos y los papeles, que no han dedicado tiempo para averiguar quiénes son en realidad.

El hecho de ser totalmente humanos nos hace reales. Pero la realidad no se puede definir, sólo se puede experimentar. Manténgase alerta a esos breves momentos durante el día cuando experimenta su yo fundamental detrás de una respiración, un sentimiento, una sensación. Antes de saltar de la cama mañana, trate de capturar esa fugaz insinuación del ser puro y simple, antes de que la mente comience a conversar. Ese estado quieto, silencioso, sin nombre, es muy gratificante. No es afectado por el pensamiento, la conversación o la acción. Es el castillo cuyos muros inexpugnables protegen la bóveda donde se encuentra el verdadero tesoro de la vida.

Quinta lección

Los magos no creen en la muerte.
A la luz de la consciencia, todo vive.
No hay principios ni finales. Para el mago,
éstos no son más que fabricaciones de la mente.
Para estar totalmente vivo, es preciso estar muerto
para el pasado.
Las moléculas se disuelven y desaparecen,
pero la consciencia sobrevive a la muerte de la materia
en la cual se aloja.

En todas las historias sobre Merlín, hasta en las más confusas, se da por sentado que el mago vivía hacia atrás en el tiempo. En su época, esto causó gran consternación entre los mortales. El anciano mago gritaba "¡Cuidado!" un segundo *después* de quemarse Arturo con agua hirviendo. Aparecía en los funerales y le acariciaba el mentón al cadáver como si fuera un recién nacido. Y por si fuera poco, los aldeanos murmuraban que se había visto a Merlín en los cementerios, entregando regalos de bautismo a las lápidas.

"¿Puedes explicarme por qué vives hacia atrás en el tiempo?", preguntó una vez el joven Arturo.

"Porque todos los magos lo hacen", contestó Merlín.

"Y, ¿por qué?"

"Porque lo preferimos. Tiene muchas ventajas".

"No le veo ninguna", insistió Arturo, pesando en los extraños hábitos de Merlín, como desayunar antes de acostarse.

"Mira, te mostraré", dijo Merlín, y llevó a Arturo afuera de la cueva de cristal. Era un día caluroso de verano y el Sol estaba en el punto más alto del cielo.

"Ahora", dijo Merlín, entregándole una pala al niño, "comienza a cavar una zanja de aquí hasta allá y no te detengas hasta que te diga".

Arturo se entregó a la tarea con todo su empeño, pero al cabo de una hora estaba agotado y Merlín aún no le había dicho que se detuviera. "¿Con esto es suficiente?", preguntó. Merlín se quedó mirando la zanja.

"Sí, es suficiente", dijo. "Ahora llénala de nuevo".

Aunque Arturo estaba acostumbrado a obedecer, la orden no le agradó demasiado. Sudoroso y con el ceño fruncido, continuó trabajando hasta llenar totalmente la zanja.

"Ahora siéntate a mi lado", dijo Merlín. "¿Qué piensas del trabajo que acabas de hacer?"

"Que no tenía objeto", se desahogó Arturo.

"Exactamente, y lo mismo sucede con la mayoría de los esfuerzos del ser humano. Pero la inutilidad sólo se descubre cuando ya es demasiado tarde, una vez realizado el trabajo. Si vivieras hacia atrás en el tiempo, habrías reconocido que hacer esa zanja no tenía objeto, y no te habrías molestado en comenzar a cavar".

Para comprender la lección

Las leyendas de la época arturiana en las que se afirma que Merlín vivía hacia atrás en el tiempo eran una simplificación. A los antiguos narradores de mitos les encantaba asombrar, y cualquier lector que tratara de descifrar lo que significaba vivir hacia atrás en el tiempo se maravillaría con ese singular personaje que era Merlín. Como resultado, hubo quienes lo vieron como profeta o adivino. Podría decirse que todo profeta vive hacia atrás en el tiempo, puesto que aparentemente experimenta lo que aún no ha sucedido.

Pero en un plano más profundo, para la mente medieval vivir hacia atrás en el tiempo significaba desafiar el ciclo natural del nacimiento y la muerte. Quienquiera que se hace más joven día tras día es porque ha escapado a las leyes inmutables que ordenan que todas las cosas vivas se deterioran y mueren. Se diría que el día del nacimiento de un mago es el día en que desaparece del mundo, suponiendo que en realidad muera.

A fin de desenredar esta paradoja es preciso comprender el tiempo como lo experimenta el mago. "Ustedes los mortales tomaron su nombre de la muerte", dijo Merlín en la cueva de cristal. "Se llamarían inmortales si creyeran que son criaturas de vida".

"Eso no es justo", protestó Arturo. "Nosotros no escogimos la muerte. Nos fue impuesta".

"No, sencillamente están acostumbrados a ella. Todos ustedes envejecen y mueren porque ven a los demás hacer lo mismo. Sólo tienen que descartar esa costumbre desgastada, para liberarse de las redes del tiempo".

"¿Descartar la muerte? ¿Y eso cómo se hace?", quiso saber Arturo.

"Para empezar, debes volver a la fuente de esa costumbre. Ahí encontrarás algún trozo de falso razonamiento que te convenció de ser mortal en primer lugar. En el origen de toda falsa creencia hay un razonamiento falso. Después encuentra la falla en tu lógica y deshazte de ella. Es muy sencillo".

Arturo se conoce en la leyenda como el "rey que fue y será", lo que da a entender que también él había escapado al hechizo de la muerte. ¿Qué fue lo que él averiguó? ¿Cuál es la falsa lógica que los magos ven detrás de la mortalidad? Básicamente es nuestra identificación con el cuerpo. Los cuerpos humanos nacen, envejecen y mueren. Es ilógico identificarse con ese proceso, pero una vez aceptada esa noción, ella nos condena a morir. Caemos bajo el hechizo de la mortalidad y no tenemos otra alternativa que aceptar la muerte.

A fin de romper el encantamiento es necesario pasar de identificarnos con lo temporal a identificarnos con lo eterno. Por lo tanto, el mago emprende un viaje que lo lleva a descubrir la verdad sobre el tiempo — ése es el significado real de la historia según la cual Merlín vivía hacia atrás en el tiempo. Él deseaba devolverse en el tiempo hasta el inicio.

Para vivir la lección

Según la experiencia del mago, el tiempo es la eternidad cuantificada. "Todos estamos rodeados por lo eterno", sostenía Merlín. "La pregunta es qué hacer con él". Al descomponer lo eterno en trozos pequeños creamos el tiempo, y ésa aún es nuestra tendencia. Para nosotros, el tiempo fluye de manera lineal. Los relojes marcan los segundos, los minutos y las horas, registrando la larga marcha desde el pasado hasta el presente y hacia el futuro. Einstein desvirtuó ese concepto lineal del tiempo cuando demostró que éste es relativo y tiene la capacidad de acelerar o disminuir su velocidad.

Además de parecerse un poco a Merlín, Einstein tuvo que haber entrado en el mundo del mago para plantear esta asombrosa noción. Según su propio relato, él pudo *sentir* la teoría de la relatividad mucho antes de poder demostrarla matemáticamente. Nosotros sentimos el tiempo como una cosa relativa, fluida — un suceso feliz lo acelera, mientras que una experiencia dolorosa lo frena. Un día para un enamorado es como un segundo, mientras que una mañana en el consultorio del odontólogo parece una eternidad.

Pero, ¿en realidad es posible que esta nueva forma de concebir el tiempo nos permita superar la muerte? Para el mago, la muerte es sólo una creencia. La relatividad nos permite alterar nuestra creencia en el tiempo lineal. No es difícil pensar en otros ejemplos que nos permitirían creer en la inmortalidad. Si consideramos, por ejemplo, que el universo es un depósito de energía, entonces desde el punto de vista de la energía nada muere, porque ésta no se destruye. Siempre estaremos aquí en forma de energía.

"Pero no deseo ser energía", protestó Arturo cuando escuchó ese razonamiento.

"Ése es tu fatal error", señaló Merlín. "Como te identificas con tu cuerpo, piensas que necesitas una forma. La energía no tiene forma, de manera que tú no crees que puedas ser energía. Pero lo único que quería hacerte ver es que la energía no puede nacer; no tiene principio o fin. Mientras no dejes de pensar que tienes principio, no podrás encontrar tu parte inmortal, la cual no debe nacer a fin de que no muera jamás".

Viendo el rostro abatido del niño, Merlín lo tranquilizó: "No te estoy robando el cuerpo para establecer que no tienes forma. Lo único que debes hacer es ver lo que no tiene forma dentro de la forma, y así podrás tener la inmortalidad en medio de la mortalidad".

Las moléculas se forman y se disuelven, retornando al caldo primordial de átomos. Pero la consciencia sobrevive a la muerte de las moléculas sobre las que cabalga. Lo que una vez fue un paquete de energía en un rayo de sol se convierte en hoja, sólo para caer y transformarse de nuevo en tierra. Este cambio de estado traspasa muchas fronteras. El rayo de sol es invisible, mientras que las hojas y la tierra son visibles. La hoja vive y crece, mientras que el rayo de sol no. Los colores de la luz, la hoja y la tierra son diferentes, y así sucesivamente.

Pero todas esas transformaciones existen como fabricaciones de la mente. La energía real presente en el rayo de sol no cambia en lo absoluto — sencillamente es parte del juego constante de los fotones y electrones que lo componen todo, ya sea que se perciban como vivos o muertos. La ciencia moderna le ha permitido a la mente adentrarse dentro de esta nueva y correcta perspectiva; ahora debemos aprender a *vivirla*. Los pensadores visionarios como Einstein sólo pueden ayudarnos a superar las barreras mentales; nos toca a nosotros romper las demás — las barreras de los instintos y las emociones, nosotros mismos.

El temor emocional a la muerte es una de esas barreras. Desde el punto de vista del mago, todo el fenómeno de la muerte está envuelto en el temor, aunque ese temor tiene un origen tan profundo que sus efectos no son obvios de inmediato. Sin embargo, hay un ejercicio sencillo para descubrirlo. Siéntese con una pila de hojas de papel. Escoja un sitio donde no haya ruido ni distracciones. Después coloque la punta del bolígrafo sobre la primera hoja y prométase no levantarlo durante cinco minutos. Comience a escribir la frase "Le temo a" y termínela como desee.

Sin levantar el bolígrafo, comience nuevamente la frase "Le temo a", y nuevamente escriba lo que le venga a la mente. Mientras lo hace, respire lentamente sin hacer pausas entre una respiración y otra. Esto se conoce como respiración circular, en la cual la inhalación y la exhalación están conectadas. Desde tiempos antiguos se ha considerado que esta forma de respiración permite dejar atrás las inhibiciones de la mente consciente. Sin esta técnica sería mucho más difícil llegar al nivel inconsciente del temor.

Mientras practica la respiración circular, inhalando y exhalando sin parar, complete una y otra vez la misma frase, "Le temo a", sin levantar el bolígrafo del papel. Una vez que se libere y pueda plasmar sobre el papel sus temores ocultos, le será difícil detenerse.

Si realiza el ejercicio libremente, dejando que sus pensamientos se desenvuelvan sin tratar de controlarlos, descubrirá muchas asociaciones extrañas con el temor que no había imaginado. Y esos temores inesperados traerán consigo emociones, no sólo temor sino ira, tristeza y alivio. Podrán incluso brotar lágrimas reprimidas.

Deje que todo salga, pero vuelva siempre a la respiración y no levante el bolígrafo del papel hasta que termine. Si comienza a sentirse demasiado mal, deténgase. Al terminar el ejercicio es buena idea acostarse a descansar, a fin de recuperar el equilibrio normal. Este ejercicio es más eficaz la primera vez, aunque se puede repetir cuantas veces lo desee.

¿Qué tiene todo esto que ver con la concepción que tiene el mago acerca de la inmortalidad? Podría decirse que realizar una sesión de cinco minutos con el temor es como eliminar una capa de un sistema de creencias. La inmortalidad está en el núcleo de la vida humana, pero está envuelta en sucesivas capas de creencias contrarias a ella. Esas creencias se refuerzan en la vida cotidiana — vivimos nuestros temores, deseos, sueños, asociaciones inconscientes y, en últimas, la creencia profunda de que debemos morir. La mente racional seguramente defendería esta posición sosteniendo que la muerte nos rodea por todas partes.

Pero Merlín diría: "Analiza más de cerca tus dudas racionales. Detrás de ellas está el que duda, detrás del que duda está el que piensa, detrás del que piensa hay una chispa de consciencia pura que debe ser consciente para que haya un pensamiento. Yo soy esa chispa de consciencia. Soy inmortal e inmune al tiempo. No te limites a especular sobre mí, a juzgar si debes aceptarme o rechazarme. Sumérgete hasta el fondo, desecha tus capas de duda. Cuando finalmente nos encontremos, sabrás quién soy. Y entonces mi inmortalidad no será una simple noción, sino una realidad viva".

Sexta lección

La consciencia del mago es un campo omnipresente.
Las corrientes de conocimiento presentes en el campo
son eternas y fluyen para siempre.
En los momentos de revelación están contenidos siglos
de conocimiento.
Vivimos como ondas de energía en el vasto océano
de la energía.
Cuando dejamos de lado el ego, tenemos acceso
a la totalidad de la memoria.

Una mañana Arturo se despertó muy temprano, temblando en su cama de paja, y vio a Merlín mirándolo desde el otro lado de la cueva.

"Tuve un mal sueño", murmuró el niño. "Era la última persona que quedaba sobre la Tierra y caminaba por bosques y calles totalmente desolados".

"¿Sueño?", dijo Merlín. "Eso no fue un sueño. *Eres* la última persona sobre la Tierra".

"¿Cómo puede ser eso?", preguntó Arturo.

"¿Estarías de acuerdo en que la única persona sobre la Tierra tendría que ser necesariamente la última?"

"Sí".

"Bueno, desde el punto de vista de tu imagen de ti mismo, a la cual las personas del futuro han denominado ego, tú eres el único".

"¿Cómo puedes decir eso? Tú y yo estamos aquí juntos, ¿no es así? Y hemos visitado aldeas y pueblos en los cuales deben vivir cientos de personas".

Merlín sacudió la cabeza. "Si te miras honestamente, ¿qué eres? Una criatura de experiencias que se convierten constantemente en recuerdos. Cuando dices 'yo', te refieres a ese paquete único de experiencias, con toda su historia privada que nadie más puede compartir.

"Nada parece más personal que la memoria. Tú y yo hemos andado por caminos diferentes, aunque andamos juntos. No puedo mirar una flor sin tener una experiencia que tú no compartes. No es posible compartir verdaderamente con otra persona una sola lágrima o una sonrisa".

Cuando Merlín terminó de hablar, Arturo se veía muy acongojado. "Lo haces parecer como si todos estuviéramos completamente solos", dijo el niño.

"Yo no", replicó Merlín. "La actividad del ego es la que te hace sentir solo, sellándote en un mundo en el cual nadie más puede entrar". Viendo la tribulación de su discípulo, Merlín suavizó la voz. "Y, no obstante, el ego se puede dejar de lado. Ven conmigo". Se levantó y llevó a Arturo afuera de la cueva, hacia la oscuridad del amanecer todavía lleno de estrellas.

"¿Cuán lejos crees que está esa estrella?", preguntó señalando a Canícula. Como era la mitad del verano, Sirio se veía brillante y muy cerca del horizonte.

"No lo sé. Imagino que debe estar más lejos de lo que puedo medir o siquiera imaginar", contestó Arturo.

Merlín sacudió la cabeza. "No está a ninguna distancia. Piensa en esto: para poder ver la estrella, su luz tiene que entrar en tu ojo, ¿correcto? Los rayos de luz fluyen continuamente de aquí para allá, como puentes invisibles. ¿Qué es una estrella sino luz? Por lo tanto, si todo es luz — tanto aquí como allá y también el puente que une los dos puntos —, entonces no hay separación entre tú y la estrella. Ambos son parte del mismo campo unificado de luz".

"Pero parece estar muy lejos. Después de todo, no la puedo arrancar del firmamento", objetó Arturo.

Merlín se encogió de hombros. "La separación es sólo una ilusión. Pareces estar separado de mí y de las demás personas porque tu ego asume la postura de que todos estamos aislados y solos. Pero te aseguro que si dejas de lado a tu ego, nos verás a todos rodeados por un solo campo infinito de luz, el cual es la consciencia. Cada uno de tus pensamientos nace en un vasto océano de luz sólo para regresar a él, junto con cada una de las células de tu cuerpo. Este campo de consciencia está en todas partes, como un puente invisible que une todo lo que existe.

"Entonces no hay nada tuyo que no sea parte de todos los demás — salvo en la manera como lo ve el ego. Tu tarea consiste en ir más allá del ego y sumergirte dentro del océano de consciencia universal".

Arturo estaba pensativo. "Tendré que reflexionar sobre lo que me has dicho".

"Hazlo". Merlín bostezó. "Yo todavía tengo sueño". El mago se volvió para entrar en la cueva abrigada. "Ah, y antes de que lo olvide, antes de acostarte nuevamente, ¿querrías colgar esa cosa otra vez?"

"¿Cosa?" Arturo bajó la vista y para su sorpresa, vio que Canícula había sido arrancada del cielo y estaba a sus pies.

Para comprender la lección

El ego se ha dedicado a escoger y rechazar experiencias, como lo vimos anteriormente. Como consecuencia, el ego produce aislamiento, puesto que todo aquello que escoge y selecciona crea una brecha. Entre cada uno de nosotros y las cosas que rechazamos hay una brecha. Entre usted y yo también hay una brecha, porque hemos decidido no tener la misma experiencia — nuestros egos están separados.

De hecho, todos damos por sentado que no hay forma de compartir las experiencias, por lo menos no plenamente. Yo no puedo entrar en las emociones, temores, deseos y sueños de nadie, y nadie puede entrar en los míos. Lo mejor que podemos hacer es tratar de construir puentes de comunicación, los cuales suelen ser demasiado débiles para sostenerse. Las cosas más íntimas de nosotros mismos desde que nacemos — nuestros recuerdos y experiencias — nos producen soledad y aislamiento.

Sin embargo, el mago nunca está aislado, porque el ego no forma parte de su percepción de las cosas. *Ego* es aquella parte del yo que sentimos muy personal e imposible de compartir. Merlín le dijo una vez a Arturo: "Trata de olvidarme si puedes".

"¿Qué?", dijo Arturo sorprendido. "No podría olvidarte jamás — y no deseo hacerlo". Sintió angustia al pensar que Merlín lo estuviera rechazando de alguna manera. "¿Tú deseas olvidarme?", preguntó.

"Definitivamente", replicó tranquilamente el mago. "Verás, deseo que seamos amigos, y si te recuerdo, ¿qué tendré? No al verdadero tú, sino una imagen muerta. Eso es lo que es un recuerdo, una cosa viva convertida en imagen muerta. Pero mientras pueda olvidarte día tras día, entonces despertaré para verte renovado al día siguiente. Veré al verdadero tú, despojado de imágenes gastadas".

Dejar al ego de lado significa dejar de lado a la memoria. Una vez logrado eso, dejamos de sentirnos aislados. La mente individual reduce el alcance de nuestra consciencia, hasta el punto de hacernos ver el mundo como a través de un embudo. En el mundo del mago, todos comparten la misma consciencia universal. Ésta fluye eternamente y abarca todos los pensamientos, todas las emociones y todas las experiencias. "En la medida en que seas una sola persona", decía Merlín, "serás como una gota en el océano. En la medida en que seas parte de la consciencia universal, serás todo el océano".

"¿Acaso una sola gota no se deshace simplemente, perdiéndose en el océano?", preguntó Arturo.

"No, el individuo no puede desvanecerse jamás, ni siquiera a través de la experiencia del océano de consciencia", le aseguró Merlín. "Puedes ser tú mismo y ser el Todo al mismo tiempo. Aunque pueda parecerte un misterio, así es".

PARA VIVIR LA LECCIÓN

Todos nos aferramos a la memoria porque ella nos define. Pero para poner fin a la separación y el aislamiento, debemos estar dispuestos a ver la irrealidad de la memoria. Piense en alguien a quien conozca bien — su esposo o esposa, un hermano o una amiga. Traiga a esa persona a su mente con todo detalle y pregúntese qué sabe en realidad sobre ella. Vaya más allá de los simples hechos como el color de los ojos, el peso, el oficio, o el sitio donde vive. Piense en cambio en los rasgos más personales, como aquello que le agrada y le desagrada, los recuerdos vívidos y las interacciones.

Cuando termine este ejercicio, podrá suponer que ha hecho un retrato bastante exacto de esa persona. Sin embargo, todo lo que vino a su mente salió de su memoria y, por lo tanto, lo que ha descrito es su propio punto de vista. Esa misma persona podría ser descrita de una manera totalmente diferente desde otro punto de vista. Lo que a usted le parece agradable puede ser desagradable para otros, lo que para usted puede ser digno de recordar otra persona puede querer olvidarlo.

No necesita ir demasiado lejos para reconocer que *todos* los elementos de su descripción son completamente relativos. Lo que para usted es alto, puede ser bajo o corriente en opinión de otra persona, lo pesado puede ser liviano, lo claro oscuro, lo amable, desagradable, etc. Usted habrá descrito en realidad su propio punto de vista, no a la persona. Además, sus experiencias con esa persona son únicas, lo cual hace que su descripción sea todavía más particular. Si todo lo que usted creía saber sobre una persona termina refiriéndose indirectamente a usted, es obvio que la memoria sirve para aislar. Todos fragmentamos el mundo de acuerdo con nuestra forma personal de percibirlo, creando cascos de aislamiento que nadie puede penetrar, por lo menos no totalmente.

Puesto que nuestro punto de vista es completamente relativo, no se puede considerar real. La realidad no depende de un punto de vista — sencillamente es. Y la mayoría de nosotros, recluidos dentro de nuestro mundo privado, no entramos en contacto con lo real con mucha frecuencia. El hábitat de los sentidos es lo irreal; el hábitat del mago es lo real. Es preciso mirar detrás del telón de la memoria para comenzar a descubrir el verdadero tejido de la realidad.

Séptima lección

*Cuando se limpian las puertas de la percepción,
comenzamos a ver el mundo invisible — el mundo
del mago.*

*Hay un manantial de vida dentro de cada uno
de nosotros, a donde podemos ir en busca de limpieza
y transformación.*

*La purificación consiste en liberarse de las toxinas
de la vida: las emociones tóxicas, los pensamientos
tóxicos, las relaciones tóxicas.*

*Todos los cuerpos vivos, físicos y sutiles, son manojos
de energía que se pueden percibir
directamente.*

Un día en que tanto Merlín como Arturo se abandonaban a la modorra de una tarde de estío, al lado de una quebrada, Merlín dijo: "Cuando era niño, dentro de mucho tiempo en el futuro, leí un poema. Me pregunto si te gustaría". Arturo hizo como que dormía, con la mano sobre la cara para protegerse del sol de julio. Siempre que Merlín hablaba del futuro como su pasado, el muchacho sentía la necesidad de concentrarse mucho para no perder el hilo.

"No trates de hacer caso omiso de lo que digo", prosiguió Merlín, "porque este poema es demasiado bello para dejarlo pasar:

¿Qué tal si durmieras,
y qué tal si,
estando dormido
soñaras?

¿Y qué tal si,
en tus sueños
volaras al cielo
y de allí trajeras
una rara y bella flor?

¿Y qué tal si,
al despertar,
tuvieras esa flor
en tu mano?
¿Qué pasaría?

PARA COMPRENDER LA LECCIÓN

Mientras estamos despiertos mantenemos la atención fija sobre los objetos y los sonidos del mundo material, de modo que es fácil suponer que el cuerpo físico es el único que poseemos. ¿Qué es un cuerpo? Según la definición más amplia, es una colección de células que funcionan conjuntamente para formar una unidad más grande. Siendo mucho más grande que la suma de sus partes, un cuerpo puede actuar, pensar y sentir de una forma que le sería imposible hacerlo a una sola célula.

Apliquemos esta definición a un plano inesperado — el de los sentimientos. Todos los días experimentamos sentimientos que son como células sueltas; si los reunimos todos, tendremos un *cuerpo emocional*. El cuerpo emocional es, ante todo, una historia viva de todas las cosas que nos agradan y desagradan, además de nuestros temores, esperanzas, deseos, etc. Si nuestro cuerpo emocional pudiese presentarse en un recinto, nuestros amigos nos reconocerían inmediatamente, puesto que el cuerpo emocional aporta una gran parte de nuestra identidad.

Hay otros cuerpos, también invisibles, que agregan a nuestra singularidad. Está el cuerpo de conocimiento que ha venido creciendo desde nuestro nacimiento, al cual llamaremos el *cuerpo mental*. El conocimiento es más sutil que las emociones, puesto que está constituido por conceptos abstractos. Pero más sutiles todavía son las razones que tenemos para vivir, las creencias profundas sobre la existencia y la naturaleza de la vida — todas ellas almacenadas dentro de nuestro *cuerpo causal*, esa parte de nosotros que nos permite comprender la existencia. En él residen las semillas más profundas de la memoria y el deseo.

Todos esos cuerpos son únicos en cada persona. Una vez más, si nuestro cuerpo mental o causal pudiese presentarse en un recinto, seríamos identificables inmediatamente. Por lo tanto, la *identidad* — el sentimiento de ser "yo" — emana a partir de nuestra consciencia de esos cuerpos. Un mago sabe que esa luz fluye desde el cuerpo más sutil hasta el más concreto. El "yo" con el cual nos identificamos tiene origen primero en nuestras creencias y razones para vivir (cuerpo causal), las cuales dan lugar a las ideas (cuerpo mental) y a los sentimientos (cuerpo emocional). Sólo al final de la secuencia el cuerpo físico recibe el impulso de la vida. Como decía Merlín: "Los mortales creen que son máquinas físicas que aprendieron a pensar. En realidad son pensamientos que aprendieron a crear una máquina física".

Para vivir la lección

En términos prácticos, este conocimiento tiene implicaciones enormes. Si usted supone que es ante todo un ser físico, vivirá la vida de manera muy diferente de quien supone que es ante todo un ser sutil.

Arturo y Merlín regresaban a casa de un viaje a través del espeso bosque que constituía el dominio del mago. Como de costumbre, Arturo estaba mucho más cansado que Merlín después de estos esfuerzos, de modo que se acostó debajo de un árbol para dormir un rato. Pero no acababa de cerrar los ojos cuando sintió que le chuzaban las costillas.

"¿Qué pasa?", refunfuñó medio dormido. "Déjame dormir".

Chuzándolo de nuevo con una vara de avellano, Merlín sacudió la cabeza. "Necesitas tu fuerza para el último tramo a casa. Si duermes quedarás agotado".

"¿Agotado? Por eso mismo es que trato de dormir un poco", respondió Arturo.

"Ah, pero estás mucho más activo cuando duermes que cuando estás despierto", dijo Merlín. Sabía que esto picaría la curiosidad de Arturo quien, después de unas cuantas vueltas en el blando césped, se sentó. "¿Qué clase de actividad realizo durante el sueño? ¿Por qué no soy consciente de ella?", preguntó.

"Toda clase de actividades", replicó Merlín como quien no quiere la cosa. "Durante el sueño, tu cuerpo físico descansa y repara sus fuerzas. En los sueños, tu cuerpo emocional realiza sus deseos, temores, esperanzas y fantasías. Tu cuerpo causal regresa al mundo de la luz, considerado por algunos como el cielo. Pero para otras personas, es la solución repentina a un problema o una idea que sale de la nada cuando despiertan. Todas éstas son formas de calibrar nuevamente la compleja coordinación entre todos tus cuerpos.

"El acto más creador que podrás emprender jamás será el de crearte a ti mismo. Eso ocurre en incontables planos, visibles e invisibles. Hace acopio de toda la inteligencia del universo y condensa miles de millones de años de conocimiento en cada segundo de vida.

"¿No te das cuenta", dijo Merlín a su pupilo, "que la historia del universo ha hecho posible que estemos aquí en este segundo? Somos los hijos privilegiados de la creación para quienes todo esto fue hecho".

Si la fuente verdadera del ser está en el mundo sutil invisible y no en el físico, entonces el cuerpo realmente no está hecho de células. Éstas no son los elementos fundamentales de la vida, como tampoco lo son los átomos y las moléculas en los cuales se pueden descomponer las células. El cuerpo está construido sobre abstracciones invisibles denominadas información y energía — las cuales están presentes en el ADN (Ácido Desoxirribonucleico).

Pero el mago penetra todavía más adentro del mundo invisible porque sabe que las creencias más profundas son las fuerzas creadoras más poderosas. Nuestro cuerpo físico surgió del impulso de vida contenido en el ADN. Sin ese impulso, la información y la energía son inertes. Asimismo, los pensamientos y las emociones fluyen hacia el mundo a partir de los impulsos invisibles de inteligencia de los cuales está hecho el más sutil de los cuerpos, el cuerpo causal.

Según los magos, la razón por la cual todos dormimos en la noche es para poder ordenar todos esos cuerpos después del esfuerzo que nos representa estar despiertos y activos.

Pero la actividad más sutil de todas se realiza en el silencio puro. La próxima vez que usted note un momento fugaz de silencio totalmente carente de pensamientos, deseos o sentimientos, no lo considere como un momento de distracción.

Su consciencia se habrá deslizado por entre las grietas de los cuerpos físico, emocional, mental y causal. En el silencio profundo regresamos a la causa última, al Ser puro. Allí nos encontramos frente a frente con el útero de la creación, la fuente de todo lo que ha sido, es o será, que es, simplemente, nuestro propio yo.

Octava lección

El poder es una espada de doble filo. El poder del ego
busca controlar y dominar. El poder del mago
es el poder del amor.

El asiento del poder está en el yo interior.

El ego nos persigue como una sombra oscura.
Su poder intoxica y crea adicción, pero en últimas
destruye.

El choque eterno del poder termina en la unidad.

La tristeza se apoderó de Arturo al acercarse el momento de abandonar a Merlín. Tenía casi quince años y rara vez había departido con otras personas. "¿Estás triste por ir a vivir entre *ellos*?", preguntó Merlín. "Después de todo, perteneces a su especie".

Arturo apartó la mirada. "Estoy triste, pero ésa no es la razón".

"Entonces, ¿cuál es?"

"Deseo preguntarte algo pero no sé cómo, o si debería hacerlo".

"Hazlo".

Había duda en los ojos del muchacho. "No es acerca de ninguna de tus lecciones. Más que nada, deseo saber... eso es si quisieras decírmelo..." Calló, incapaz de proseguir.

"¿Tal vez deseas saber cómo es estar enamorado?"

Arturo asintió, feliz de verse salvado por la intuición de Merlín. El viejo mago reflexionó unos momentos y dijo: "Ante todo, no te avergüences, porque en realidad has tocado un tema verdaderamente importante. Hay algo acerca del amor que no es posible expresar con palabras, pero ven conmigo".

Merlín condujo a Arturo a un claro del bosque donde brillaba el Sol del medio día. Merlín hizo aparecer una vela encendida, la cual sostuvo frente al Sol. "¿Puedes ver si está encendida o no?", preguntó.

"No", dijo Arturo. La luz del Sol era tan brillante que impedía ver la llama de la vela.

"Pero mira", dijo Merlín. Arrimó una bola de algodón a la llama, y ésta se prendió inmediatamente.

"¿Qué tiene eso que ver con el amor?", preguntó el muchacho. Merlín no respondió. Se limitó a exprimir dos gotas del jugo de una genciana silvestre sobre los dedos del muchacho. "Prueba", le ordenó.

Arturo hizo un gesto. "Es muy amargo".

Merlín lo llevo a un lago y le ordenó que se lavara las manos. "Ahora prueba el agua", le dijo. "¿Hay algún rastro del sabor amargo?"

"No", admitió Arturo. "¿Pero qué tiene esto que ver con el amor?" Tampoco esta vez respondió Merlín sino que se adentró más en el bosque. "Siéntate y quédate quieto", le dijo suavemente al muchacho. Arturo obedeció. Tras un momento, un ratón se aventuró a campo abierto; una sombra se proyectó sobre él, pero antes de que pudiera moverse, cayó presa en las garras de un águila, la cual remontó el vuelo hasta su nido en los peñascos.

Desconcertado, Arturo dijo: "Pero dijiste que me enseñarías sobre el amor. ¿Qué tienen que ver con él todas las cosas que me has mostrado?"

"Escucha", dijo el maestro. "Al igual que la llama que se torna invisible ante el Sol, tu ego se disolverá en medio de la fuerza abrumadora del amor. Como el sabor amargo que desaparece una vez diluido en el lago, la amargura de tu vida será tan dulce como las aguas más frescas cuando se mezclen con el amor. Y al igual que la presa devorada por el águila, tu importancia parecerá un punto minúsculo en el ojo del amor que te devora".

Para comprender la lección

El poder del amor es el poder de la pureza. La palabra *amor* se utiliza de muchas maneras, pero para el mago es sagrada, porque para él *amor* es "aquello que disuelve todas las impurezas, dejando sólo lo verdadero y real". "Mientras temas, no podrás amar de verdad", advirtió Merlín. "Mientras sientas ira, no podrás amar verdaderamente. Mientras sientas el egoísmo del ego, no podrás sentir verdadero amor".

"Entonces, ¿cómo podré amar?", preguntó Arturo, sabiendo que el temor, la ira y el egoísmo eran cosas que experimentaba con bastante frecuencia.

"Ah, ése es el misterio", replicó Merlín. "Por impuro que seas, el amor te buscará y trabajará en ti hasta que puedas amar".

El amor busca la impureza a fin de deshacerla. No existe una persona sin amor — solamente hay personas que no pueden sentir la fuerza del amor. Invisible y siempre presente, el amor es más que una emoción o un sentimiento; es más que placer o incluso éxtasis. Tal como lo ven los magos, el amor es el aire que respiramos, es la circulación en cada célula. El amor lo impregna todo a partir de su fuente universal. Es el culmen del poder porque, sin necesidad de fuerza, el amor lo atrae todo hacia sí. Incluso en el sufrimiento, el poder del amor continúa su trabajo, lejos de la vista del ego y de la mente. Comparadas con el amor, todas las demás formas de poder son débiles.

"¿Eres tan poderoso como un rey?", preguntó Arturo a Merlín.

"¿Por qué crees que un rey pueda tener poder alguno?", preguntó Merlín a su vez. "El rey recibe su poder de sus súbditos, los cuales se pueden rebelar en cualquier momento y arrebatárselo. Por esa razón todos los reyes viven atemorizados — saben que todo lo que poseen realmente es prestado. El siervo más pobre del país es más rico que el rey — hasta que entrega su poder y se inclina ante él".

El verdadero poder es interior. Poder ver el mundo a la luz del amor, la cual sólo puede venir de adentro, es vivir sin temor, en una paz imperturbable.

El amor tiene muchos secretos que escapan a la atención de la gente. A fin de recibir amor, primero hay que darlo. Para asegurarnos de que otra persona nos ame incondicionalmente, primero debemos eliminar todas las condiciones. Para aprender a amar a otro, primero debemos amarnos a nosotros mismos. Muchas de estas cosas parecen obvias. Sin embargo, ¿por qué no actuamos de conformidad?

La respuesta del mago es que debemos desenterrar el amor, quitarle todas las capas de ira, temor y egoísmo que lo tapan con si fueran manos de pintura vieja. Para lograr una vida plena de amor debemos purificar nuestra vida. No existe una forma correcta o incorrecta de aproximarnos al amor. "Una persona que busca desesperadamente el amor", decía Merlín, "me recuerda al pez que busca desesperadamente el agua".

La vida puede parecer muy carente de amor, pero es sólo el ojo de quien percibe, no el mundo "allá afuera", el que priva a una persona del amor.

El primer paso para lograr el amor como un aspecto completo, inalterable de la vida, consiste en redefinir aquello que llamamos amor en este momento. La mayoría de nosotros pensamos que el amor es una atracción hacia otra persona, una fuerza cálida que nos hace sentir importantes para otro, un placer y un deleite, o un sentimiento o emoción muy poderosa. Aunque el amor está presente en todas esas definiciones, el mago diría que en el mejor de los casos éstas son parciales.

"El amor, como ustedes los mortales lo definen, está condenado a desvanecerse y perecer", decía Merlín. "Lo que ustedes llaman amor va y viene. Pasa de un objeto de deseo a otro. Se convierte prontamente en odio si el deseo no se cumple. El verdadero amor no puede cambiar, no tiene nada que ver con un objeto y no puede transformarse en otra emoción, puesto que, para comenzar, no es una emoción".

Si descartamos todos los tipos falsos o superficiales de amor, ¿qué nos queda? Podemos vislumbrar la respuesta cuando comenzamos a aceptarnos a nosotros mismos. Puesto que es una fuerza interior, el amor se percibe primero adentro, dirigido hacia nosotros mismos. "Los mortales viven ansiosos, inquietos y angustiados con el amor", dijo Merlín. "Si no pueden poseer al objeto de su amor, sienten que van a morir. Pero el amor no puede producir inquietud, no el verdadero amor, porque éste nunca busca salir. El ser amado más deseado es una extensión de ti mismo. El amor que piensas obtener de otra persona saca a flote una limitación de tu propia consciencia. Para un mago, todas las formas de amor provienen del yo".

"Eso suena en extremo egoísta", objetó Arturo.

"Confundes el yo con el ego, cuando en realidad el yo es espíritu", replicó Merlín. "El egoísmo viene del ego, el cual siempre desea poseer, controlar y dominar. Cuando el ego dice: 'Te amo porque eres mío', está haciendo un planteamiento de dominio y posesión, no de amor. Quienes han aprendido a amar realmente, se han deshecho primero del egoísmo. Sólo entonces comienza una experiencia completamente diferente".

"¿Y cómo es esa experiencia?", preguntó Arturo. "¿La conoceré algún día?"

"Un día, cuando hayas superado esta fiebre de ansiedad, verás una pequeña luz en tu corazón. Al principio será apenas una chispa, después la llama de una vela y finalmente una hoguera gigantesca. Entonces despertarás y la llama devorará al Sol, a la Luna y a las estrellas. En ese momento no habrá otra cosa que amor en el cosmos, aunque todo estará aún dentro de tu propio corazón".

PARA VIVIR LA LECCIÓN

El proceso de dejar el ego de lado se cumple por etapas — son muchas las capas de aislamiento, temor, costumbre, egoísmo e ira que nos impiden experimentar el amor tal y como lo conoce el mago. La mente puede ser la primera en asumir el liderazgo para aprender a entrar en contacto con la fuerza universal del amor. La mente puede adoptar un nuevo punto de vista, y entonces podemos proceder a reeducar las emociones.

¿Cuál es la base del nuevo punto de vista de la mente? Sencillamente que la fuerza del amor está presente en todas partes, y que podemos estar seguros de que traerá orden y paz a nuestra vida. Ensaye el siguiente ejercicio: salga en la noche y contemple el firmamento sembrado de estrellas. Durante siglos, la humanidad ha visto esa escena y ha contemplado su increíble estructura y belleza. Es un ejemplo perfecto del orden de la naturaleza — mirando el cielo en la noche podemos apreciar el paso del tiempo a través de miles y millones de años, el cual ha nutrido cada pequeño paso de la vida del universo, desde la organización del primer átomo de hidrógeno hasta la formación de las estrellas y el advenimiento del ADN. Ni siquiera un hilo se ha perdido durante ese enorme intervalo de tiempo; cada trozo de información y energía ha evolucionado de manera tal que ha hecho posible que usted, el observador, pueda asomarse a un cosmos que es el cuadro vivo de todo su pasado.

Las fuerzas del universo son inmensas, infinitamente más grandes de lo que la mente puede comprender y, no obstante, el proceso que dio lugar a los átomos de hidrógeno, las estrellas y el ADN fue extremadamente delicado. Las cosas habrían podido tomar un rumbo muy diferente — de hecho, infinidad de rumbos — y el resultado no habría sido lo que reconocemos como nosotros mismos. Los elementos que permiten que este acto de equilibrio suceda son la organización y la inteligencia. Según la perspectiva del mago, el orden no puede brotar simplemente del azar; es innato en la creación. Así, las fuerzas titánicas que giran en el cosmos no están en pugna recíproca; pueden existir y evolucionar como parte de la tendencia de la naturaleza a crecer.

Ahora tomemos todas estas cualidades juntas: orden, equilibrio, evolución e inteligencia. Lo que tenemos es una descripción del amor. No el ideal popular, sino el amor del mago — la fuerza que sostiene la vida y la nutre. Es ahí cuando la mente comienza a darse cuenta de que la fuerza del amor es real. En la vida moderna nos hemos acostumbrado al azar, a la noción de que la vida es precaria y se encuentra amenazada a cada instante. Pero la historia de la vida nos demuestra que ha sobrevivido durante miles de millones de años; de hecho, parece crear las condiciones para su propia supervivencia por medio de una inteligencia profunda jamás amenazada. Por hostiles que sean las condiciones, la vida es inextinguible.

Podemos aplicar este conocimiento a nuestra propia vida. Imaginemos el puro comienzo de ella, cuando en contra de millones de obstáculos, un solo espermatozoide logró fecundar un óvulo en el útero de nuestra madre. Toda nuestra identidad actual se forjó a partir de ese acto. Las probabilidades contrarias a ese suceso único lo hacen parecer casi imposible, pero sucedió sin esfuerzo alguno. Asimismo, el ambiente ha lanzado contra nosotros millones de ataques, desde contaminación, radiación y mutaciones aleatorias a nivel celular; cualquiera de esos ataques pudo haber acabado con nuestra probabilidad de sobrevivir en cualquier momento, desde la concepción hasta ahora. Sin embargo, la inteligencia y el poder organizador presentes dentro de nosotros han superado esos obstáculos sin esfuerzo, a pesar de que la mente consciente piensa que es necesario sostener una lucha para mantener la vida. En realidad, la mente consciente no podría prever o planear la forma de concebir, mantener o defender a la vida de tan grandes peligros.

Ahora, si es posible que estos actos sucedan con tanta facilidad a nivel inconsciente y celular, ¿por qué no podría pasar lo mismo en el plano consciente? ¿Puede verse a usted mismo montado sobre la cresta de la ola de la vida? De hecho, eso es lo que usted hace en este preciso momento. Sus impulsos personales para pensar, actuar y sentir son como la cresta de una ola que cae constantemente hacia el futuro y, no obstante, se renueva permanentemente desde abajo — la fuerza del amor que mantiene constantemente la vida es como la marejada del océano que renueva cada ola.

Al reconocer esto damos el primer paso hacia la confianza. Si fuerzas titánicas como la gravedad y las gigantescas energías que dan luz a las estrellas pueden coexistir sin destruirse entre sí, entonces es posible mantener nuestra propia vida. El temor y la duda nos dicen lo contrario; nuestra arraigada creencia en la lucha se basa en la noción de que, si no lucháramos por sobrevivir, seríamos aplastados por la indiferencia aleatoria de la naturaleza. El mago nos abre un camino diferente, invitándonos a entrar en un mundo donde el temor, la violencia y la destrucción son reflejo de nuestras propias creencias erróneas. A la luz de la confianza, a medida que ésta se desarrolle lentamente con el tiempo, reconoceremos que somos hijos privilegiados del universo, que estamos completamente a salvo y totalmente respaldados, y que somos plenamente amados.

Novena lección

El mago vive en estado de conocimiento.
Este conocimiento dirige su propia satisfacción.
El campo de la consciencia se organiza alrededor
de nuestras intenciones.
El conocimiento y la intención son fuerzas. Aquello
que tenemos intención de hacer modifica el campo
a nuestro favor.
Las intenciones comprimidas en palabras encierran
un poder mágico.
El mago no trata de resolver el misterio de la vida.
Está aquí para vivirla.

El joven Arturo tardó mucho tiempo en reconocer plenamente que había sido educado por un mago. Merlín lo había llevado al bosque a las pocas horas de nacido y sólo muchos años después, al regresar al mundo, comprendió la curiosidad que generaba su asociación con un *mago*.

"Si realmente conociste a Merlín", le decía la gente (aquellos que se tomaban la molestia de pensar que el muchacho no estaba simplemente loco), "¿qué hechizos te enseñó?"

"¿Hechizos?", preguntaba Arturo.

"Encantamientos, conjuros, las palabras mágicas de las que Merlín obtiene su poder", decían, pensando que Arturo debía ser muy tonto o estar en algún estado de delirio.

"Merlín sí me hablaba acerca de las palabras", decía Arturo lentamente, reflexionando sobre la pregunta. "Me decía que las palabras tienen poder, que cubren los secretos de la misma manera que las trampas cubren los pasadizos subterráneos".

Tal explicación sonaba muy bien, pero no bastaba para aplacar la curiosidad de la gente. Todos querían saber cómo funcionaban en realidad los hechizos de Merlín.

"Bueno", contestaba Arturo, "cuando yo era un bebé, recuerdo que Merlín me dijo 'Come'. Cuando fui un poco mayor, me dijo 'Camina', y si me quedaba despierto hasta muy tarde, me decía 'Duerme'. Hasta donde sé, he venido comiendo, caminando y durmiendo desde entonces, de manera que esas palabras debieron ser conjuros muy poderosos, ¿no están de acuerdo?"

Nadie lo estaba. Todos se iban cavilando si ese muchacho estúpido adoptado por Sir Ector llegaría a ser alguien algún día.

Para comprender la lección

El poder de las palabras no radica en su significado superficial sino en sus cualidades ocultas. Toda palabra, por ejemplo, encierra a la vez conocimiento e intención. Estas dos cualidades son mágicas. La magia del conocimiento es que en unas pocas sílabas es posible reunir muchas capas de experiencia — de hecho, toda una historia. "Pon a tu reino el nombre de Camelot", le aconsejó Merlín al muchacho antes de que se pusiera en marcha hacia el mundo.

"¿Por qué?", preguntó Arturo.

"Es una palabra nueva que no necesita cargar con el peso de la historia como debe hacerlo *Inglaterra*", contestó Merlín.

"La gente te identificará con ella y todos te rodearán. Servirá de piedra de toque. En el instante mismo en que una persona la pronuncie, tu reino y todas tus hazañas se abrirán para ella, como si tocaran una palanca y se abriera la puerta de un gabinete lleno de tesoros". Lo cual demostró ser cierto.

Todas las palabras más ricas del idioma abren pasadizos secretos de significado y conocimiento. Pero la segunda cualidad de las palabras, la intención, es todavía más poderosa. Merlín expresaba intención cuando, como cualquier otro padre, le decía a su niño que comiera, caminara y durmiera. Ha sido a través de estas palabras como todos hemos aprendido funciones importantes, pero ahora que las conocemos, ya no necesitamos de ellas. Ya no nos decimos a nosotros mismos que debemos comer, caminar o dormir. La intención de la palabra ha sido interiorizada y lo único que necesitamos es algo que nos la recuerde ("Creo que me iré a dormir"), para que se produzca el resultado esperado.

¿Realmente es acertado decir que esto es un conjuro, como lo hizo Arturo? Sí, porque una vez que se absorbe la intención de una palabra, se crea un conjuro en forma de huella mental. La palabra *escuela* inmediatamente desencadena en toda persona la experiencia de los años escolares. El buen estudiante evocará las asociaciones de éxito y alabanza, mientras que el mal estudiante verá imágenes de fracaso y crítica. Toda nuestra vida está metida dentro de nosotros en forma de huellas que son activadas por las palabras. "Los mortales están envueltos en palabras, de la misma manera en que las moscas quedan atrapadas en la tela de la araña", afirmaba Merlín. "Sólo que en su caso son a la vez araña y mosca, porque se aprisionan dentro de su propia tela".

No cabe duda de que todos utilizamos nuestras propias palabras para establecer los hábitos que permiten que la vida continúe inconscientemente. Ya hemos mencionado el asunto de identificarnos con los nombres y los rótulos; éstos, naturalmente, son palabras. Pero ¿cuáles palabras nos permitirán romper los viejos hábitos y liberarnos de las identificaciones restringidas? Si toda palabra imprime una huella en la mente, ¿acaso son limitantes todas y cada una de las palabras?

"La paradoja de las palabras", dijo Merlín, "es que se deben utilizar para crear disciplina y entrenamiento. Caminar, hablar, leer, todas éstas son funciones de las cuales carece un bebé. La madre y el padre deben encargarse de educar al niño acerca de las cosas del mundo, lo cual hacen por medio de palabras.

"El problema es que las palabras también tienen significados psicológicos. A través de las palabras los padres hacen que los niños se sientan bien o mal, buenos o malos. Las expresiones más poderosas que cualquier persona puede utilizar son el *sí* y el *no*. El efecto de estas dos sílabas puede levantar fronteras o eliminarlas. Todo aquello que crees que puedes hacer lleva un sí encerrado en alguna parte, generalmente pronunciado por un progenitor o un maestro en el pasado lejano. Todo aquello que crees que no puedes hacer lleva un no escondido, proveniente de las mismas fuentes".

"¿Eso por qué es una paradoja?", preguntó Arturo.

"Porque aunque las palabras nos dicen quiénes somos, de todas maneras somos más de lo que ellas pueden expresar. Independientemente de cuán poderoso sea el conjuro de las palabras, las personas pueden cambiar. El poder de las palabras puede crear algo nuevo, no sólo un límite".

El mago utiliza las palabras para decir sí a las cosas a las cuales nos han enseñado a decir no. En un nivel, eso es lo que hace este libro: tejer un mundo de significados completamente nuevos, para reemplazar los viejos con los que todos hemos crecido. Pero aquí hay un misterio más profundo. Las palabras encierran a la vez conocimiento e intención; por lo tanto, enmarcar una intención en palabras es el primer paso para cerciorarse de que se haga realidad. Dos buenos ejemplos de esto son la oración y la afirmación. Afirmar cosas como "Soy bueno", o rezar a Dios diciendo "Permite que me cure", son actos que van mucho más allá de la simple expresión verbal de un pensamiento.

Siempre que una palabra está respaldada por una intención, entra en el campo de la consciencia en forma de mensaje o petición. El universo está siendo notificado de que tenemos un determinado deseo. No se necesita más que eso para que los deseos se hagan realidad, porque la capacidad de ejecución de la consciencia universal es infinita. Todos los mensajes son escuchados y obedecidos.

"Los mortales y los magos no son tan distintos como piensas", dijo Merlín. "Ambos envían sus deseos al campo esperando una respuesta, pero en el caso de los mortales, los mensajes son confusos y enredados; en el caso de los magos, son transparentes como el cristal. Aunque jamás se hace caso omiso de una intención, puede haber obstáculos para su realización considerando la cantidad de conflictos que se encierran en ella, todos los conflictos presentes en el corazón humano".

PARA VIVIR LA LECCIÓN

Vivir esta lección implica reconocer que todas las intenciones producen un resultado. Un mago es alguien que sabe con exactitud cómo inyectar las intenciones en el campo y esperar a que se tornen realidad. El resto de nosotros no tenemos ese grado de consciencia. También enviamos constantemente nuestras intenciones al campo, pero de manera inconsciente. Nuestros deseos son aleatorios o repetitivos u obsesivos, todo lo cual no es más que desperdicio de energía.

"Ustedes los mortales suponen que tienen que trabajar para hacer realidad sus sueños", decía Merlín, "cuando la verdad es que la mayor parte del trabajo que se ufanan de realizar les *impide* realizar sus sueños". Desde el punto de vista del mago, cuanto menor el esfuerzo, mejor. En sus enseñanzas, los magos les muestran a sus pupilos cómo pensar de una manera más ordenada, consciente y eficaz. Para hacerlo, es necesario eliminar primero los hábitos de pensamiento que obstaculizan la capacidad del universo para hacer realidad los deseos.

Imaginemos que la mente es un transmisor de radio con el cual bombardeamos el campo con mensajes. Si nos sentamos en silencio a observar la mente, nos daremos cuenta de que está llena de señales contradictorias. Dudamos acerca de las cosas que deseamos; tampoco estamos totalmente seguros acerca del tipo de persona en que deseamos convertirnos.

De la misma manera, la mente está llena de repeticiones inútiles. Se calcula que el 90% de los pensamientos que tiene una persona en un día son los mismos del día anterior. Esto se debe a que somos criaturas de costumbre, preocupación y obsesión. Por último, la mente está llena de estática inconsciente, la cual se remonta hasta las profundidades mismas de la memoria infantil. Es probable que prestemos atención únicamente a nuestros pensamientos conscientes, deseados, pero en el fondo la mente inconsciente vive martillando sus esperanzas frustradas, sus viejos temores y deseos — en otras palabras, todas aquellas cosas que aparentemente no se hicieron realidad en el pasado.

Las intenciones son simples deseos y los deseos van ligados a las necesidades. Por lo tanto, toda esa actividad de la mente que no se satisface se compone de viejas *necesidades* insatisfechas. Miles de veces hemos pensado "Quiero" o "Deseo" o "Espero" sin que pase nada, y si pasa, ocurren cosas menos deseables.

"Me gustaría barrer tu cerebro", refunfuñó Merlín una vez en que Arturo se comportaba de manera bastante confusa. "Tu pensamiento debería ser una corriente transparente, pero es como una guerra".

"¿Por qué no puedes barrer mi cerebro?", preguntó Arturo cándidamente.

"Porque todas las personas y todo lo que hay en él eres tú". Merlín suspiró. "Te has convertido en todos esos conflictos rancios, repetitivos, y ellos no desaparecerán sino cuando cambies".

El primer paso hacia el cambio es el *reconocimiento*. Reconocer que al menos unas cuantas esperanzas y unos cuantos deseos sí se han hecho realidad en nuestra vida. Una persona nos ha llamado justo cuando necesitábamos hablar con ella; nos ha llegado ayuda de donde menos la esperábamos; nuestras oraciones han sido escuchadas. Todo eso sucede en el campo. Cuando tenemos una intención y la enviamos al campo de la consciencia universal, en realidad estamos hablando con nosotros mismos en otra forma. Como remitentes del mensaje somos individuos que vivimos aquí, en el tiempo y el espacio. Pero también somos los destinatarios del mensaje en nuestra calidad del yo superior que domina sobre nuestra identidad espacial y temporal. Y, más aún, somos también el medio del mensaje, la consciencia pura misma.

Con el fin de vernos verdaderamente, debemos reconocer que poseemos estos tres aspectos: remitentes, destinatarios y medios. Hay muchas variaciones de este tema: somos el deseo, quien desea, y quien concede el deseo. Somos el observador, el observado y el proceso de observar. Este triple estado se conoce como unidad. Así, enviar una intención al campo y recibir una respuesta no es algo que exija esfuerzo. En nuestra naturaleza unificada, lo *único* que hacemos es cumplir nuestras intenciones; ése es nuestro oficio de tiempo completo. No existe un solo pensamiento que no produzca un resultado.

El problema es que todos pasamos por alto los resultados demasiado sutiles, que no se acomodan a nuestras metas inmediatas o no coinciden con aquello que, según nuestro ego, *debería* suceder. "Ustedes los mortales viven en el mundo del *debería* y el *qué tal si*", decía Merlín. "Yo vivo en el mundo de *lo que es*".

Cuando aprendemos a acallar la mente y a desintoxicarla de todos sus conflictos de vieja data, se revela ante nosotros la realidad simple del funcionamiento del universo — *lo que es*. Hablaremos más de eso en la tercera parte de este libro. Por ahora, dedique un poco de tiempo todos los días a tomar nota del contenido de su mente. Este acto de tomar nota, aunque muy simple, es uno de los pasos más poderosos para efectuar el cambio. No podemos cambiar lo que no vemos.

Es probable que a su ego no le agrade admitir que está lleno de negación, conflicto, intenciones contradictorias, vergüenza, culpa y todas las demás confusiones que obnubilan a la mente y le impiden ver la realidad de *lo que es*. En efecto, el ego se enorgullece de su capacidad para ocultarle a usted esas cosas, so pretexto de evitarle el sufrimiento que experimentaría al ver sus errores, faltas y pecados.

El segundo paso es aprender a *hacer realidad sus intenciones*. Los pasos son completamente naturales, pero es preciso aprenderlos. Haga que el ego se aparte y se lleve consigo todas sus expectativas y esperanzas. En lugar de sentir que necesita controlar el resultado de su intención, sienta la seguridad de que el campo hará el trabajo por usted. Libere su intención dentro del campo de lo eterno; cuanto más amplia sea su consciencia, más clara será la señal transmitida.

Por último, tómese todo el proceso con *tranquilidad* y *naturalidad*. Cuando todos estos pasos converjan, su intención entrará en el campo de la consciencia, el cual es como una especie de matriz donde se conecta el pensamiento individual con todo lo que es. Las angustias y los apegos del temeroso ego no obstaculizarán el suave avance hacia el resultado.

Lo cierto es que ninguna de las oscuridades de la mente es pecado. "Recuerda siempre", le advirtió Merlín al joven Arturo, "que Dios no juzga, sólo la mente lo hace". Lo que Dios desea es que se cumplan todos los mayores ahelos de cada persona; ése es nuestro estado natural como creadores de nuestra propia realidad.

Décima lección

*Todos tenemos un yo-sombra que es parte
de nuestra realidad total.*

*El yo-sombra no está aquí para lastimarnos
sino para señalar nuestros vacíos.*

*Cuando acogemos a la sombra, ésta sana.
Cuando sana, se convierte en amor.*

*Cuando aprendamos a vivir con todas nuestras
cualidades opuestas, viviremos nuestro yo total,
al igual que el mago.*

"Parece que nunca te sintieras solo", le dijo Arturo a Merlín. Había un tono de nostalgia en su voz. El mago lo miró atentamente.

"No, es imposible sentirse solo".

"Tal vez para ti, pero..." El muchacho calló, mordiéndose los labios, pero no pudo reprimir sus sentimientos y estalló: "Es bastante posible sentirse solo. No hay nadie más en este bosque aparte de nosotros dos, y aunque te amo como a un padre, hay momentos en que..." Sin saber qué más decir, Arturo calló.

"Es imposible sentirse solo", repitió Merlín con más firmeza. La curiosidad pudo más que la congoja y Arturo dijo: "No veo por qué".

"Bueno, solamente hay dos tipos de seres que nos deben

preocupar a ti y a mí en lo que se refiere a este asunto", comenzó Merlín, "los magos y los mortales. Ustedes los mortales no pueden sentirse solos porque tienen un gran número de personalidades en lucha dentro de ustedes mismos. A los magos les es imposible sentirse solos porque no tienen personalidad alguna dentro de ellos".

"No comprendo. ¿Quién más hay dentro de mí salvo yo mismo?"

"Primero debes preguntar qué es esa cosa a la que llamas tú mismo. A pesar de la sensación de ser una sola persona, en realidad eres una combinación de muchas personas, y tus múltiples personalidades muchas veces no se llevan bien —todo lo contrario. Estás dividido en decenas de facciones, cada una de ellas en lucha por ocupar tu cuerpo".

"¿Eso le sucede a todo el mundo?", preguntó el niño.

"Ah, sí. Hasta que encuentres tu camino hacia la libertad, serás rehén del conflicto entre tus personalidades internas. Mi experiencia me dice que los mortales siempre están peleando guerras internas entre todos los bandos posibles".

"Pero yo siento que soy una sola persona", protestó Arturo.

"No puedo hacer nada al respecto", replicó Merlín. "La sensación de ser una sola persona es producto de la costumbre. Bien podrías verte fácilmente de la forma como acabo de describirte. Mi versión es más cierta porque explica la razón por la cual los magos vemos a los mortales tan fragmentados y llenos de conflictos. Es tan grande el aturdimiento que me produce un encuentro con un mortal, que muchas veces siento que estoy hablando con toda una aldea condensada en un solo paquete de carne y hueso".

El muchacho se quedó pensativo. "¿Entonces a qué se debe que me sienta tan solo? Porque, para serte sincero, así me siento".

Merlín lanzó a su discípulo una mirada penetrante. "Realmente es extraño que puedas sentirte solo, considerando a todas esas personas que pugnan por ocupar tu cuerpo. Pero he llegado a la conclusión de que la soledad existe en la medida en que existan otras personas. Mientras haya un 'yo' y un 'tú', existirá una sensación de separación, y donde hay separación debe haber aislamiento. ¿Qué es la soledad sino otro nombre para describir el aislamiento?"

"Pero siempre habrá otras personas en el mundo", protestó Arturo.

"¿Estás seguro de eso?", replicó Merlín. "Siempre habrá personas, eso es innegable, pero, ¿serán siempre *otras* personas? Espera hasta que llegues al final del sendero del mago para decirme cómo te sientes".

Para comprender la lección

Cuando escudriñamos nuestro interior, descubrimos las muchas personalidades que compiten por utilizar nuestro cuerpo. El conflicto entre el bien y el mal, por ejemplo, da lugar a dos personalidades llamadas santo y pecador. Éstas jamás dejan de discutir, la primera con la esperanza permanente de ser lo suficientemente buena para satisfacer a Dios, y la otra sintiendo constantemente los "malos" impulsos que no siempre puede reprimir.

Después están los papeles con los cuales nos identificamos: hijo, padre o madre, hermano, hermana, hombre, mujer, para no mencionar el oficio que desempeñamos: médico, abogado, sacerdote, etc. Cada uno de ellos ha reclamado lo suyo dentro de nosotros, gritando por encima de los demás a fin de plantear su estrecho punto de vista. Y aún no me he referido a nuestro sentido de nacionalidad o a nuestra identidad religiosa, motivos, de por sí, de conflictos interminables.

Todas estas personalidades suelen estar en pugna. Lo que llamamos felicidad es un estado en el cual ha menguado buena parte de ese conflicto. Cuando nacimos, esa guerra no existía porque los bebés no tienen conflictos con sus deseos. Por ejemplo, no hay voces del bien y del mal sino hasta cuando el bebé es lo suficientemente grande para aprender de sus padres esos conceptos.

"Sólo podrás convertirte en mago cuando pienses nuevamente como un bebé", dijo Merlín.

"¿Cómo piensa un bebé?", preguntó Arturo.

"Principalmente sintiendo. El bebé siente cuándo tiene hambre o sueño. Cuando se le presentan sensaciones, puede sentir si le traen placer o dolor, y responde de conformidad. El bebé no tiene la inhibición de desear el placer y evitar el dolor".

"No veo nada especial en eso", dijo Arturo. "Los bebés se limitan a llorar y sonreír, comer y dormir".

"Muchos mortales serían afortunados de poder hacer esas cosas cuando crecen", murmuró Merlín. "Estar aquí en este mundo en un estado de plena satisfacción es una verdadera hazaña".

El instinto inocente del bebé acerca de lo que se siente bien o mal se pierde rápidamente. Poco a poco comienzan a oírse las voces interiores, primero la de la madre que dice "sí", "no", "eres un niño muy juicioso", "eres un niño muy tonto". Cuando el sí, no, bueno o malo concuerdan con lo que el bebé desea, no hay problema. Pero es inevitable que surja un conflicto entre las necesidades del bebé y lo que sus padres esperan. Los dos mundos, el interior y el exterior, comienzan a chocar. Las semillas de la culpabilidad y la ver güenza no tardan en sembrarse; el temperamento temerario del recién nacido se mancilla con el temor. El bebé aprende a dudar de sus propios instintos. El impulso interior de "Esto es lo que deseo" se convierte en interrogante: "¿Está bien que desee esto?"

Nos pasamos la vida esforzándonos por volver al estado de autoaceptación con el cual nacimos. Durante años se multiplican los interrogantes y arrojamos a las cavernas secretas y a las bodegas oscuras de la psique tanta cantidad de duda, vergüenza, culpabilidad y temor como podemos. Sin embargo, todos esos sentimientos permanecen vivos, por hondo que los enterremos. Todos los conflictos interiores con los cuales no logramos reconciliarnos conducen a un yo-sombra.

"Es interesante observar esta corte", anotó una vez Merlín cuando Arturo ya era rey. "No me había dado cuenta de que todos ustedes los mortales realizan el mismo oficio".

"¿Lo hacemos?", preguntó Arturo. "¿Y cuál podría ser ese oficio?"

"El de carceleros", replicó Merlín, rehusando decir una palabra más sobre el asunto.

A los ojos del mago, todos somos carceleros de nuestro yo-sombra. La mente inconsciente es la prisión donde encerramos todas las energías indeseadas, no porque así deba ser, sino debido a la marca indeleble que nos han dejado los años de sí, no, bueno y malo. Después de reflexionar acerca de lo dicho por Merlín sobre el carcelero, Arturo lo buscó y le dijo: "No deseo ser así. ¿Qué puedo hacer para cambiar?"

"Nada es más fácil", replicó Merlín. "Sencillamente toma nota de que estás representando los dos papeles, carcelero y prisionero. Si eres ambos lados de la moneda, entonces ninguno de los dos puede ser tú, puesto que se anulan entre sí. Reconoce eso y serás libre".

"Pero no sé cómo hacerlo", protestó Arturo. "¿Cómo puedo encontrar a ese yo-sombra del que hablas?"

"Sólo escucha. Como todos los prisioneros, él envía mensajes a través de los muros de su celda".

El yo-sombra es sólo otro papel o identidad que arrastramos por la vida, pero sin mostrarlo en público. La mayoría de las veces, el yo-sombra se siente demasiado avergonzado o temeroso para presentarse a la luz del día. Pero no hay duda de que existe, porque cada uno de nosotros ha inventado su propia sombra, un personaje cuya tarea es cargar todas las energías que no hemos podido descargar. El recién nacido no tiene el problema de aferrarse a los sentimientos "malos" o nocivos. Tan pronto como arrojamos algo negativo dentro del entorno de un bebé, éste llora o se aparta.

Esta reacción es extremadamente sana porque, al expresarse tan libremente, el bebé descarga las energías que, de lo contrario, se adherirían a él. Sin embargo, a medida que crecemos, aprendemos que no siempre es apropiado dejarnos llevar por las manifestaciones espontáneas. En aras de la buena educación y el tacto, o de conocer nuestro lugar, o de hacer lo que dicen nuestros padres, todos aprendemos a guardar las energías negativas. Nos convertimos en baterías con una capacidad de carga cada vez mayor, y como adultos retenemos la ira, el resentimiento, la frustración y el temor de muchos años. Además, lo más grave es que hemos olvidado el instinto que nos permitía descargar las baterías.

"Será muy interesante para ti ver algún día hasta qué punto te pareces a una bomba", le dijo Merlín al joven Arturo.

"¿Qué es una bomba?"

"Si vivieras hacia atrás en el tiempo, que es la única forma sensata de vivir, lo sabrías". Merlín reflexionó durante un segundo. "Imagina que inflas una vejiga de cerdo hasta que revienta. La bomba funciona sobre ese mismo principio, salvo que estalla con tanta fuerza que mata a las personas".

"Por Dios, ¿no hay forma de prevenir eso en el futuro?", preguntó Arturo, alarmado.

"No, no entiendes. Las bombas estallan precisamente *porque* matan a la gente. Ésa es la idea. Lo menciono sólo porque las bombas se parecen mucho a los mortales, quienes van por ahí listos a estallar a toda hora. La explosión de la metralla — así se llamarán las municiones con que se cargarán las bombas — no es otra cosa que la explosión de la ira hecha manifiesta. En efecto, si los humanos pudieran explotar y matar a sus vecinos sin temor a las represalias, la mayoría lo haría".

PARA VIVIR LA LECCIÓN

Poner fin a la guerra interior implica acabar con el conflicto entre todas nuestras personalidades. Podemos aliviar la carga de energías del pasado que pesa sobre los hombros del yo-sombra, y así crear una condición propicia para la paz interior, puesto que es el temor de salir lastimado el que hace que las voces interiores desconfíen las unas de las otras. Pero no es posible comenzar a resolver estas tensiones interiores mientras no sepamos de qué están hechas nuestras personalidades internas.

Todas las personalidades están hechas de lo mismo — alguna vieja energía adherida a un recuerdo. Digamos, por ejemplo, que recordamos haber sido castigados cuando niños por alguna cosa que no hicimos. La energía del resentimiento o la injusticia se adherirá a ese recuerdo y comenzaremos a construir un fragmento de personalidad — un niño resentido — el cual vivirá desde su estrecho punto de vista hasta que pueda liberar esa energía. El niño interior resentido es sólo un recuerdo que espera poder descargar su energía retenida y no podrá moverse mientras no lo haga.

Puesto que tenemos recuerdos asociados con alegría y también con dolor, las personalidades interiores vienen en versiones placenteras y dolorosas. Es agradable recordar un premio recibido por un buen trabajo; es desagradable recordar haber sido criticados. Pero estos recuerdos contrarios no se anulan entre sí; retienen su integridad y entran en conflicto con sus opuestos. Cuando juzgamos, por naturaleza decimos "Yo tengo la razón", aunque la siguiente experiencia sea totalmente contradictoria. La crítica o el castigo injusto irán con nosotros a todas partes, repitiendo sus escenarios una y otra vez, mientras que en el compartimiento de al lado, otra energía estará expresando su punto de vista de haber sido tratados con justicia y haber sido premiados.

No es difícil entrar en contacto con estas energías retenidas. Siéntese a solas en un sitio silencioso. Respire naturalmente. Ahora, sin cambiar el ritmo de la respiración, fije su atención en la facilidad con la cual inhala y exhala. No haga nada más hasta que su respiración sea tranquila y rítmica. Cuando llegue a ese punto, trate de recordar un incidente muy desagradable de su pasado durante el cual se hayan manifestado muchas emociones negativas, como una humillación o un momento de vergüenza o de culpa. Digamos que fue atrapado haciendo trampa en un examen o robando. No importa si el incidente fue serio o intrascendente — se trata de identificar la emoción persistente.

Traiga a la mente una imagen nítida de ese incidente y experimente los sentimientos de ese momento. Ahora lleve su atención a la respiración — ésta ya no será tranquila. Dependiendo del tipo de emoción traída a la memoria, su respiración se tornará irregular o superficial; podría incluso retener el aliento o sentir que le falta el aire. Estos cambios reflejan el hecho de que la respiración es el espejo fiel del proceso de pensamiento y, en particular, del recuerdo de una emoción. Lo que está experimentando son los tres componentes de los cuales hemos venido hablando: memoria, energía y apego. Cuando los tres se reúnen, forman el comienzo de una subpersonalidad.

Todas las subpersonalidades desean lo mismo: expresarse a través de nosotros. El lactante que llora, el niño solo, el adolescente frustrado, el amante esperanzado, el trabajador ambicioso — todos desean vivir la vida a través de nosotros. Y lo hacen, a su manera. Ninguna de las personalidades logra realizarse plenamente; por lo tanto, todas deben gritar para tener su momento en el Sol — o en la sombra.

El conflicto resultante es el que hace que la vida sea tan ambigua, tan llena de luz y sombra a la vez. Sin embargo, el mago vive solamente en la luz. Al igual que un bebé, el mago no retiene la energía. Habiendo liberado todos los apegos recordados que le sirven de combustible a nuestra lucha interior, el mago ha logrado ir más allá de la personalidad para vivir en la consciencia pura. La forma de pasar del estado mortal al estado del mago podría parecer misteriosa, pero en realidad es completamente natural. Lo único que se necesita es *equilibrio*, que el flujo de la vida se encargará de preservar.

Hay muchas formas de liberar las viejas energías. Una de las más poderosas es el simple hecho de reconocer que están ahí. En lugar de negar, por ejemplo, que siente vergüenza o culpa, mírese y diga: "Así es como me siento". Muchas veces, ese momento de consciencia es suficiente porque, al fin de cuentas, es a través de la negación que todas las energías retenidas quedan atrapadas. Habrá ganado la mitad de la batalla cuando supere la negación. El reconocimiento es una forma de autoaceptación. No necesita decir: "Está bien sentir vergüenza y culpa", porque en realidad ésas son energías que usted desea liberar, no perpetuar. Pero ciertamente está bien decir: "Tengo estos sentimientos. Ellos son reales".

Una de las técnicas más eficaces para superar la negación es por medio de la respiración. Acuéstese en un sitio tranquilo y relájese. Ahora inhale de la manera que desee, profunda o superficialmente, rápida o lentamente, y luego exhale naturalmente. No se imponga ningún ritmo ni realice ningún esfuerzo, sencillamente deje fluir la respiración. Es probable que suspire o jadee un poco, pero no importa.

Ahora inhale nuevamente y luego exhale sin esforzarse ni tratar de retener el aire. Siga respirando de esa forma y permita que todas las imágenes o emociones disponibles salgan a flote para ser liberadas. Puede ayudarse concentrándose en el corazón, o en cualquier parte del cuerpo donde sienta sensaciones — algunos puntos físicos están estrechamente asociados con las emociones.

A medida que continúa el ejercicio, las energías retenidas comenzarán a salir. Entre los síntomas de esta descarga pueden estar recuerdos borrosos, sombras de sentimiento o, incluso, expresiones poderosas de la emoción, como los sollozos. (Si los sentimientos son demasiado intensos, suspenda el ejercicio y descanse con los ojos cerrados durante cinco minutos.) La mayoría de la gente tiene tanta energía almacenada que se queda dormida rápidamente haciendo este tipo de respiración — eso es señal de la liberación de una fatiga profundamente reprimida.

Si al hacer este ejercicio siente que no libera energía, es posible que esté usando la mente para aferrarse. La manera de dejar a la mente de lado es alterando ligeramente la respiración: trate de jadear superficial y rápidamente. Esta respiración rítmica, rápida y superficial hará que su mente consciente se distraiga y permitirá que las energías se cuelen por un lado. Continúe jadeando durante uno o dos minutos, pero no más, puesto que la liberación puede tornarse demasiado intensa.

La repetición de este ejercicio puede servir para liberar más energías retenidas, y también es muy útil para aprender a descargar todas las emociones o sentimientos nuevos que desean salir a flote. Al igual que cualquier otro aspecto de su personalidad, la sombra desea expresarse y ser libre, y el primer paso es encontrar una forma natural y cómoda de liberar las energías negativas en lugar de guardarlas en los calabozos ocultos de la mente.

*El mago es el maestro de la alquimia. La alquimia
es transformación.*

*La búsqueda de la perfección se inicia a través
de la alquimia.*

*Somos el mundo. Cuando nos transformemos,
el mundo en el cual vivimos también se transformará.*

*Las metas de la búsqueda — heroísmo, esperanza,
gracia y amor — son el legado de lo eterno.*

*Para reclutar la ayuda del mago, debemos ser fuertes
en la verdad, no obstinados en nuestros juicios.*

Tras abandonar el bosque de Merlín, el joven Arturo vivió
con Sir Ector y su hijo Kay. Recibió el título de escudero, pero
sólo de nombre. Arturo no tenía familia ni propiedades, no
podía pagar por su ropa y nadie creía que fuera de familia
noble. A espaldas de Sir Ector, los muchachos de las caballe-
rizas le lanzaban lodo y las sirvientas murmuraban que Arturo
conocía la magia negra.

Debido a todo esto, Arturo pasaba la mayor parte del tiempo solo. Un día se encontraba sentado al borde de un roble-
dal, mirando fijamente una vieja jarra de plomo, cuando Kay
lo encontró. "¿La robaste?", preguntó Kay con suspicacia.

"No", contestó Arturo sacudiendo la cabeza. "La tomé pres-
tada".

"¿Para qué?"

"Alquimia".

Los ojos de Kay se abrieron como platos. Había oído decir que los magos tenían el poder de convertir los metales inferiores en oro. "¿Aprendiste alquimia?", preguntó. Arturo asintió. "Si puedes transformar el plomo en oro", dijo Kay emocionado, "nuestra familia será la más rica de Inglaterra. Muéstrame".

Arturo asintió con la cabeza y le hizo una señal a Kay para que se sentara a su lado sobre el césped. Sin decir más, comenzó a mirar fijamente la jarra de plomo. Al cabo de unos momentos, Kay observó que Arturo tenía los ojos cerrados. Esperó impaciente, pero cuando Arturo abrió los ojos quince minutos más tarde, la jarra seguía siendo de plomo.

"Creo que eres un fraude", dijo Kay furioso. "La jarra sigue siendo de plomo".

Arturo no se inmutó. "Pues claro que sí. Está allí sólo para recordarme algo. Soy *yo* quien está tratando de convertirse en oro".

PARA COMPRENDER LA LECCIÓN

La alquimia es el arte de la transformación. Según las enseñanzas de los magos, los secretos de la alquimia existen para hacer pasar a los mortales de un estado de sufrimiento e ignorancia a uno de iluminación y dicha. Merlín dijo una vez: "La alquimia opera en todo momento. Es imposible impedir las transformaciones que se presentan en todos los niveles de la vida. Es *tu* transformación la que me interesa. Comparada con eso, la transformación de un metal inferior en oro es una minucia". La alquimia es una búsqueda, y esa búsqueda siempre tiene el mismo propósito: hallar la perfección. De la misma manera como el oro es el más perfecto de los metales porque no se corrompe, la perfección en el ser humano significa liberarse del dolor, el sufrimiento, la duda y el temor.

"Pero, ¿qué pasa si los seres humanos no logramos llegar a la perfección? ¿Qué tal si en realidad somos tan débiles e imperfectos como parecemos?", preguntó Arturo.

"El secreto no está en *cómo* buscar", contestó Merlín, "sino en *hasta dónde* están dispuestos a buscar".

Las búsquedas son aventuras personales y cada paso debe darse en soledad. Pero Merlín tenía mucho que decirle a Arturo antes de que éste iniciara su búsqueda. "Te he dicho muchas veces que este montón de carne y huesos no es tu cuerpo, que esta personalidad limitada que experimentas no eres tú. Tu cuerpo realmente es infinito y uno con el universo. Tu espíritu abarca a todos los demás espíritus y no tiene límite en el espacio o en el tiempo. El trabajo de la alquimia te permitirá vislumbrar estas verdades".

Cuando Merlín dijo estas palabras, la era de los magos casi terminaba para dar paso a una nueva época, regida por la razón. La razón sostiene que la alquimia es imposible y, a medida que los magos fueron quedando relegados a la penumbra de la leyenda, las personas comenzaron a aceptar que en realidad estaban limitadas a vivir como montones finitos de carne y sangre, en pequeños rincones del tiempo y el espacio.

Puesto que damos por hecho que las cosas sólidas son reales, le asignamos realidad al material sólido del cual estamos hechos. Los mismos átomos de hidrógeno, nitrógeno, oxígeno y carbono que componen las nubes, los árboles, las flores y los animales, están presentes en nuestro cuerpo. Sin embargo, estos átomos cambian constantemente — menos del 1% de los átomos presentes en nuestro cuerpo hace un año están todavía ahí. Incluso en términos materiales es absurdo decir que somos materia sólida, si consideramos que debajo de esa solidez hay un mundo de espacio vacío y flujo constante. La búsqueda que es la alquimia comienza debajo de la superficie de los átomos y las moléculas, detrás de la apariencia del cambio.

Incluso siendo niño, Arturo estaba deseoso de emprender su primera búsqueda, y esperaba ansiosamente que Merlín le proporcionara un caballo y un mapa. Pero Merlín le dijo: "Los mapas no sirven para nada en el lugar a donde vas, porque el territorio que te espera cambia constantemente. Sería como tratar de hacer el mapa de un río".

Una vez que aceptamos que somos el flujo de la vida, la búsqueda de la perfección se convierte en una aventura más allá de lo infinito. Las cosas que son perfectas dentro de nosotros son la esencia, el ser y el amor, y es imposible limitarlas en el tiempo y el espacio. ¿Acaso cuando usted atraviesa una habitación de un lado a otro, el amor por su familia va caminando a su lado? ¿O cuando se sumerge en la tina, su esencia también se sumerge? Las fronteras se pueden plasmar en un mapa y el aspecto visible de un ser humano se puede describir en términos de huesos, músculos, tejidos y células. El cerebro humano se puede representar en forma de vías para la interacción incesante de diez mil millones de neuronas. Pero en ninguno de estos dos casos, el mapa es el territorio. La esencia, el ser y el amor que componen al ser humano tienen una vida propia que comienza y termina con la misma consciencia invisible.

"Puedo verte en forma de nube de energía", le dijo Merlín a Arturo. "Y tú puedes verme de igual manera pero, aun así, eso no es nuestro verdadero yo. Las energías son sólo un material más, pero a un nivel más sutil".

"¿Qué clase de energías?", preguntó el niño.

"Llamémoslas luz y sombra, que juegan alrededor de tu forma mientras sientes y piensas. La luz cambia dependiendo de si estás alegre o triste, inspirado o fatigado, emocionado o aburrido. Algunos mortales pasan por este mundo como luces resplandecientes, mientras que otros lo hacen como sombras negras. Pero independientemente del brillo de la luz, ésta no es tan real como el silencio puro que hay en tu interior".

"¿Por qué no me veo a mí mismo de la misma manera que tú lo haces?", preguntó Arturo.

"Porque esas energías actúan como capas. Algunas son densas, otras livianas, y no hay dos personas que estén compuestas de la misma manera. Aun así, todos ustedes parecen nubes que caminan. Mientras no te deshagas de las capas que rodean tu alma, no podrás reconocer el núcleo brillante y eterno que anida en tu centro".

PARA VIVIR LA LECCIÓN

Según la alquimia, los cuatro elementos — tierra, aire, agua y fuego — se combinan misteriosamente para llegar al mágico producto final denominado vida. No hay duda de que estamos hechos de tierra, aire y agua, modificados a partir de una forma preliminar, como el alimento. Sin embargo, no es posible destilar el fuego que anima a estos materiales sin vida, porque no es un fuego visible, ni siquiera un calor metabólico. Es el fuego de la transformación, puro y simple. Por lo tanto, somos la transformación, los transformadores y los transformados. Somos nuestro propio alquimista, encargado de transmutar constantemente las moléculas sin vida en la encarnación viva de nosotros mismos. Éste es el acto más creador y mágico que podemos realizar.

La maravilla de esta alquimia no tiene límite. En un momento dado podemos estar leyendo un libro, digiriendo una comida, fabricando proteínas y enzimas, almacenando información en la memoria, creciendo, respirando, evaluando el entorno, cicatrizando una herida, reemplazando células muertas, alejando los virus, y muchas otras actividades más. Todas estas transformaciones suceden en su mayoría sin que nos demos cuenta. El alquimista es invisible, trabaja detrás de bambalinas, y pocos nos interesamos alguna vez por descubrir de quién se trata. Su hogar no está en el espacio o el tiempo, sino en lo eterno, más allá de la memoria.

Siéntese un momento e imagine que puede ver su vida como un papiro que se desenrolla a medida que usted examina más y más sucesos de su pasado. Comience a desenrollar el papiro hasta que vea una escena conocida, como el día en que le dieron el empleo que tiene ahora. Véala con claridad y luego vaya más atrás, por ejemplo a sus días de universidad, y continúe haciendo lo mismo hasta ver imágenes de la escuela secundaria, la escuela primaria, el jardín infantil. Visualice tan claramente como pueda las escenas de cuando era niño, cuando apenas comenzaba a caminar, cuando era lactante. No importa si no aparecen imágenes vívidas; será suficiente con tener la sensación de cómo era usted en esas edades.

Ahora regrese al día en que nació — será pura imaginación — y luego véase como feto y después como un conjunto de células transparentes agrupadas en una bola. Vea cómo se encoge la bola hasta reducirse a dos células y luego a una sola. Por último, cruce ese punto e imagínese antes de eso, sin siquiera una célula a la cual adherirse.

Al cruzar este umbral, observe que su identidad no desaparece. Aunque no tenga imágenes a las cuales mirar, ni cuerpo, usted sigue siendo lo que es en realidad: una consciencia observadora que permanece inmutable aunque las escenas de la vida cambien constantemente. Ésa es su identidad como consciencia, un alquimista activo y sabio que permanece separado, detrás del drama constante de la transformación.

Ahora trate de imaginar que esa consciencia desaparece. En otras palabras, imagine una época antes de que usted existiera. Esto es algo que no puede hacer, porque el alquimista no está confinado al reino del tiempo, donde todos los sucesos comienzan y terminan. Trate, asimismo, de avanzar hacia el futuro e imaginarse el tiempo en que usted ya ha muerto y ha desaparecido completamente de la Tierra. Tampoco puede hacerlo. Al llegar al final de la memoria, el sentimiento, las emociones, la imaginación y las ideas, todavía queda el ser en forma pura, como un impulso de vida que fluye constantemente a través del espejismo de la creación. Ese flujo ocurre en forma de transformaciones constantes, la alquimia de la existencia que se extiende a todos los mundos y más allá de ellos.

Decimasegunda lección

*La sabiduría vive y, por lo tanto, siempre
es imprevisible.*

*El orden es otra cara del caos, el caos es otra cara
del orden.*

*La incertidumbre interior es la puerta hacia
la sabiduría.*

*El aventurero siempre irá acompañado
de la inseguridad, pero aunque tropieza, nunca cae.*

*El orden humano está hecho de reglas. El orden
del mago no tiene reglas, fluye con la naturaleza
de la vida.*

Merlín solía tomar nota de los detalles más pequeños de la naturaleza, y en todos ellos veía lecciones. Un día, mientras caminaba por el bosque con Arturo, oyeron la perorata que un grajo les lanzaba desde un pino cercano.

"Detente y mira", le susurró Merlín.

El grajo era un pájaro nervioso, caprichoso. Tras hacerse oír de los dos intrusos, voló hasta otra rama con mejor vista, pero a los pocos segundos no le bastó y voló hasta una tercera. Después aparentemente olvidó que ellos estaban allí y bajó al suelo para inspeccionar un cono de pino. En cuestión de segundos, pasó de chapotear en un charco a espantar un reyezuelo verde y a picotear un trozo de corteza podrida.

"¿Qué piensas de eso como forma de vida?", preguntó Merlín.

"No mucho", replicó Arturo. "Actúa como una bola de plumas sin cerebro, sin idea alguna de lo que desea hacer".

"Así parecen ser las cosas cuando una criatura vive confiando únicamente en Dios", dijo Merlín. "Se pasa el día persiguiendo despreocupadamente un impulso tras otro sin pensar en el futuro y, no obstante, debes admitir que la pasa bastante bien".

Para comprender la lección

La naturaleza de la vida es contener a la vez el caos y el orden. Del desorden surgen patrones que más adelante se disuelven nuevamente en él. El cuerpo es totalmente caótico en ciertos niveles — con cada inhalación entran en el torrente sanguíneo remolinos de átomos de oxígeno, cada célula rebosa enzimas y proteínas, y hasta los disparos de las neuronas en el cerebro son una tormenta eléctrica incesante. No obstante, este caos es sólo una cara del orden, porque no hay duda de que nuestras células son obras maestras de una función organizada y que la actividad del cerebro produce pensamientos coherentes.

En efecto, el caos y el orden coexisten tan estrechamente que no pueden separarse. "Antes de ser una estrella reluciente es preciso ser caos", decía Merlín. Y eso es literalmente cierto, porque los remolinos de gases primordiales que formaron el universo tuvieron que existir antes de que nacieran las galaxias. Al principio, esos gases no mostraban ningún patrón, sólo una ligera atracción entre sí. Sin embargo, a partir de esa leve insinuación de atracción gravitacional se desencadenaron una serie de sucesos que culminaron en el principio del ADN humano, una molécula tan compleja que la alteración de una de su tres mil millones de unidades genéticas pudo haber sido la diferencia entre la vida y la muerte.

A nivel personal, cada quien lucha entre el orden y el desorden. Las cosas tienden a desbaratarse; aquello que fue fresco y maduro acaba por dañarse; lo que era joven envejece y muere. "La muerte es una ilusión", decía Merlín, "y, no obstante, la lucha de los mortales contra la muerte es muy real. Ningún mortal sabe exactamente lo que es la muerte, pero le teme tanto a ese suceso inminente que batalla contra él con todas sus fuerzas, sin darse cuenta del enorme desorden y caos que genera".

El mago sabe que la vida siempre se ha organizado desde adentro. Esos mismos tirones de gravedad que dieron nacimiento a las estrellas a partir del caos existen en todos los niveles de la naturaleza. Una rosa puede estar totalmente segura de convertirse en rosa, aunque cuando es una plántula no es muy distinta de un fríjol o de una violeta, y cuando es semilla su exclusividad quizás radique únicamente en los minúsculos giros de su par de cadenas de ADN. Sin embargo, nosotros los humanos nos preocupamos mucho por la perfección, de manera que desperdiciamos horas de lucha y esfuerzo tratando de afirmar nuestra individualidad.

"¿Qué importa que las aves vivan sin pensar, o que una rosa sea siempre una rosa?", preguntó Arturo. "No tienen mente y, por lo tanto, no tienen otra alternativa que ser lo que son".

"Es cierto que ustedes los mortales tienen libre albedrío, pero le dan demasiada importancia", replicó Merlín. "Yo vivo sin tener que elegir entre diferentes opciones, y mi vida es mucho más feliz".

"¿Sin tener que elegir entre diferentes opciones? Pero si tomas las mismas decisiones que yo", protestó Arturo.

Merlín se encogió de hombros. "Te dejas engañar por las apariencias. Mira tu mano. No hay duda de que te pertenece pero, no obstante, no decides cómo crecen sus células; no tienes la mínina idea de qué es lo que hace que tus nervios y músculos se muevan; no haces crecer tus uñas conscientemente y tampoco haces que una herida cicatrice cuando te lastimas, o sí?"

"Es cierto, no tengo que hacer ninguna de esas cosas".

"En otras palabras, ésas no son opciones que tú debas elegir", continuó Merlín. "Estas funciones le han sido entregadas a un lado involuntario de tu cerebro, el cual se ocupa de ellas automáticamente. Asimismo, yo he entregado al lado automático de mi cerebro todas aquellas cosas a las cuales tú dedicas tanto tiempo — pensar, decidir, sentir, elegir, juzgar. Lo que es otra forma de decir que las he dejado en manos de Dios".

"Entonces, ¿para qué utilizas tu mente consciente?", preguntó Arturo.

"Para apreciar este mundo y el milagro de la vida. Soy testigo de todo lo que es y, como espectáculo, no hay nada más asombroso, bello o gratificante".

Para vivir la lección

La vida moderna está tan llena de presiones provenientes de todos lados que la mayoría de nosotros reaccionamos tratando de imponer el orden. Por lo tanto, nuestra sociedad de fuerzas caóticas es una sociedad con infinidad de leyes y normas. Esto no debe sorprendernos, puesto que los humanos amamos el orden y tememos al desorden. Por ser imprevisible y estar más allá de nuestro control, el desorden nos produce tensión. Recuerde un momento en que su vida haya sido invadida súbitamente por el desorden y el azar: el día en que perdió un vuelo, en que su automóvil se descompuso en la mitad de la nada, en que supo que un ser querido perdió el empleo.

Casi siempre estos sucesos se resuelven por sí solos, sin que lleguen a lesionar realmente la existencia; sólo producen ligeros inconvenientes. Sin embargo, lo más probable es que su sistema nervioso haya reaccionado fuertemente, manifestando temor y malestar cuando los planes no salieron como usted esperaba. La respuesta del ego ante el caos es luchar contra él y tratar de imponer control. La siguiente vez que usted tomó un avión, seguramente reconfirmó la hora de salida y partió temprano para el aeropuerto. Y cuando viajó nuevamente por tierra, tomó precauciones para que no le volviera a suceder lo mismo que la vez anterior.

El problema es que toda esa lucha, preocupación, planeación y control va en contra de la esencia de la vida. La vida está compuesta de caos y orden al mismo tiempo. No es posible que el uno exista sin el otro. Si deseamos ir con la corriente de la vida, no podemos luchar contra ella al mismo tiempo. Por lo tanto, quien busca la perfección debe aceptar el hecho de que siempre habrá incertidumbre, que siempre se sentirá en desequilibrio. "El papel del discípulo", dijo Merlín, "es tropezar siempre pero sin caer jamás".

Pese a que el ego detesta la incertidumbre, la verdad es que todos nos hemos beneficiado de ella una y otra vez. Piense por un momento en las oportunidades inesperadas que se le han cruzado en el camino, ofrecimientos de ayuda que nunca imaginó recibir, ideas e inspiraciones súbitas, decisiones impulsivas de moverse o hablar con un desconocido que le abrió nuevos horizontes. Ésa es la forma natural de vivir. "Tu vida ya está organizada en sí misma", dijo Merlín. "La vida emana de la vida, el botón se abre en flor, el niño madura en adulto. Confía en cada etapa, regocíjate en ella y permite que la siguiente llegue a ti sin esfuerzo alguno".

Hay un ejercicio simple que le mostrará a usted cuán maravilloso es vivir una vida imprevisible. Siéntese unos momentos e imagine que puede ver su vida como una película que pasa por su mente. Empiece a ver la película con los sucesos de hoy y déjela correr hacia adelante visualizando la forma como desea que sea mañana, luego el día siguiente y así sucesivamente. Imagínese que pasan los años y usted envejece: visualice el futuro que desearía si pudiera lograr que todos sus deseos se cumplieran. Deje volar la imaginación y termine con el día de su muerte. Haga que sea una muerte deseable, sin dolor y tranquila.

Cuando termine, vuelva atrás y proyecte una película *completamente diferente*. Comience con los sucesos de hoy, pero visualice un desenlace diferente. Es sólo cuestión de imaginación, de manera que puede visualizar una vida caótica, catastrófica o dramática o, por el contrario, llena de virtud. Lleve la película hasta la escena de su muerte. Ahora vuelva atrás y comience de nuevo. El punto del ejercicio es que todo lo que usted ha visualizado es cierto — su futuro no consta de una sola situación sino de muchas situaciones posibles. Éstas se ramifican a partir del momento presente, como hilos invisibles de potencial. La vida de todo el mundo es así; sólo nuestro falso sentido del control nos hace creer que podemos imponer orden sobre lo que en realidad es totalmente imprevisible.

El ego debe examinar sus temores y dejar de tratar de controlar. Ésa es una parte enorme de la aventura en la que nos hemos embarcado. Si logramos aceptar el flujo de la vida y ceder ante él, habremos aceptado la realidad. Sólo cuando aceptemos la realidad podremos vivir con ella en paz y alegría. La alternativa es una lucha interminable porque significa combatir contra lo irreal, contra un espejismo de la vida en lugar de la vida misma.

Decimatercera lección

*La realidad que experimentamos es el reflejo
de nuestras expectativas.*

*Si proyectamos las mismas imágenes todos los días,
nuestra realidad será idéntica día tras día.*

*Cuando la atención es perfecta, crea orden y claridad a
partir del caos y la confusión.*

Después de convertirse en rey, Arturo habló de sus experiencias en la cueva de cristal solamente con su esposa Guinevere. Pasaron muchos años antes de que Merlín reapareciera, y Guinevere pensaba en él más o menos de la misma manera en que se imaginaba un unicornio o alguna otra bestia mitológica. "Si es tan salvaje como las oscuras montañas de Gales, donde dicen que nació, me espantaría la sola idea de conocerlo", le dijo una vez a Arturo.

"No es así", replicó Arturo. "No se parece a nada que puedas esperar o prever".

"Mi señor, he conocido magos en la corte francesa, o por lo menos eso decían ser", dijo Guinevere. "¿Acaso no son simplemente ancianos de barba blanca y larga que actúan de manera sabia, hacen gestos como si vieran cosas que nosotros no vemos y afirman tener poderes que en realidad nadie logra ver?"

Arturo sonrió. "También he conocido esa clase de magos, pero Merlín no es como ellos. Una vez le pregunté: '¿En qué somos distintos tú y yo? En mi opinión somos sólo dos personas que están sentadas debajo de un árbol a la orilla de un arroyo, esperando pescar algo para la cena'. Él se quedó mirándome y sacudió la cabeza. 'Es cierto que no somos más que dos personas aquí sentadas — dijo —, pero para ti este escenario es toda tu realidad, mientras que el arroyo, el árbol y todo lo que nos rodea son el punto más minúsculo en el horizonte más lejano de mi consciencia'".

Guinevere preguntó: "Si en realidad Merlín vivía en un mundo tan distinto del nuestro, ¿te enseñó alguna vez cómo llegar hasta él?"

"Sí", dijo Arturo. "Insistía en que mi versión de la realidad — el árbol, el arroyo, el bosque — era una ilusión, una alucinación personal impuesta por mi mente, mientras que su mundo estaba abierto a todos, puesto que es un mundo compuesto totalmente de luz".

Guinevere quedó confundida. "Pero tú y yo vemos esta habitación, como la ven también todas las personas a quienes conocemos. No puedo creer que esto sea sólo una ilusión".

"Entonces te mostraré algo", dijo Arturo. Le pidió a su reina que abandonara la alcoba y prometiera no regresar antes de la media noche. Guinevere obedeció y, al regresar, encontró la alcoba sumida en total oscuridad, con todas las velas apagadas y las cortinas cerradas. "No te preocupes", dijo una voz. "Aquí estoy".

"¿Qué deseas que haga, mi señor?", preguntó Guinevere.

Arturo dijo: "Deseo saber qué tan bien conoces esta alcoba. Camina hacia mí y describe los objetos que te rodean, pero sin tocar nada". A la reina esa prueba le pareció muy extraña, pero hizo lo que le pedían.

"Ésa es nuestra cama, y allí está el arcón de roble de la dote que traje desde el otro lado del mar. En el rincón está un candelabro alto forjado en hierro español con dos tapices a cada lado". Caminando cautelosamente para no tropezar con las cosas, Guinevere pudo describir cada detalle de la alcoba que ella misma había amoblado hasta el último almohadón.

"Ahora mira", dijo Arturo. Encendió una vela, luego otra y una tercera. Mirando a su alrededor, Guinevere se sorprendió al ver que la alcoba estaba totalmente vacía. "No comprendo", murmuró.

"Todo lo que describiste era lo que esperabas encontrar en esta alcoba, no lo que realmente había en ella. Pero la expectativa es poderosa. Incluso sin luz, viste lo que esperabas y reaccionaste de conformidad. ¿Acaso no sentías que la alcoba era la misma? ¿Acaso no caminaste con cuidado por los sitios donde temías tropezar con algo?" Guinevere asintió. "Incluso a la luz del día", dijo Arturo, "vamos andando de acuerdo con lo que esperamos ver, oír y tocar. Cada experiencia se basa en la continuidad, la cual nutrimos recordando todo tal como estaba el día anterior, una hora antes, o un segundo antes. Merlín me dijo que si lograba ver sin tener ninguna expectativa, nada de lo que diera por hecho sería real. El mundo que el mago ve es el mundo real, una vez que se enciende la luz. El nuestro es un mundo de sombra, por el cual caminamos a oscuras".

PARA COMPRENDER LA LECCIÓN

El mago se ha liberado completamente de lo conocido. Para él, la única libertad está en lo desconocido, porque todo lo conocido está muerto y en el pasado. "¿Sabes por qué digo constantemente que tu mundo es una prisión?", preguntó

Merlín. "Porque todo aquello que la mente puede concebir debe ser limitado. Tan pronto como pones una experiencia en palabras, o la envuelves en un pensamiento, o dices 'Yo sé', desaparece algo maravilloso e invisible. Los límites son jaulas; la realidad es como un ave delicada que tiembla en tu mano. Si la retienes allí durante mucho tiempo, morirá".

Si bien es cierto que lo desconocido es el pasaje hacia la libertad, también es cierto que el ego se siente más cómodo dentro de los límites. Nuestra mente genera las mismas imágenes día tras día. Estas imágenes son el reflejo de lo que somos y, no obstante, el ego las considera reales. "¿No es obvio que un árbol es un árbol, un muro un muro, una montaña una montaña?", pregunta el ego. Son reales únicamente en un estado de consciencia — el estado de vigilia. En un sueño podríamos estar en el campo y ver las nubes pasar sobre una montaña. Y al despertar nos daríamos cuenta de que las montañas, las nubes y el campo eran sólo disparos aleatorios de las células cerebrales que daban lugar a imágenes pasajeras. No hay prueba de que el estado de vigilia sea diferente. Las montañas, los campos y las nubes "reales" no poseen una realidad comprobable más allá de las imágenes que se disparan en la mente.

Arturo se escandalizó cuando Merlín descartó al mundo visible calificándolo de ilusión. "Pero puedo tocar las cosas que me rodean y sentir su solidez. Si me golpeo la cabeza contra una piedra, me lastimo", protestó.

"Las imágenes no son sólo visibles", le recordó Merlín. "También en un sueño puedes tocar las cosas y sentir toda una gama de sensaciones".

"Entonces ¿cómo es que puedo distinguir entre estar despierto y soñando? ¿Por qué todo el mundo dice que lo primero es realidad y lo segundo ilusión?"

"Es la costumbre. Si los mortales aprendieran esto de los magos, podrían hacer durante la vigilia todo lo que hacen ahora en sueños. Así comenzarían a disiparse las fronteras y la realidad los invitaría a salir de la penumbra de su prisión".

Todos experimentamos lo nuevo y lo desconocido, pero pocos reconocemos esto último como una fuerza que nos llama. Lo desconocido contiene pistas acerca de otra realidad. ¿Cuáles son esas pistas? Aunque cambian a cada momento, si observamos atentamente cualquier imagen que el mundo nos presenta, veremos un poco más de nosotros mismos cada vez. La aparente aleatoreidad de los sucesos comenzará a cobrar forma y significado, como si parte de nosotros dijera: "Estoy aquí. ¿Puedes hallarme?" Los encuentros casuales, las coincidencias inesperadas, las premoniciones que se hacen realidad, los deseos que se cumplen súbitamente, los momentos de dicha imprevisible, el sentido de sabiduría profunda, el surgimiento de la confianza — todas ellas son formas que la realidad adopta a medida que nos invita a salir de nuestra prisión autoimpuesta. No tenemos que escuchar esa voz suave que nos llama. La decisión es totalmente personal. En lo más profundo del corazón debemos decidir entre lo conocido, que nos es familiar, y lo desconocido, que es un campo nuevo de posibilidades infinitas.

PARA VIVIR LA LECCIÓN

Vivir esta lección implica rebasar la frontera de lo conocido. Si pudiéramos olvidarlo todo y no prever nada, estaríamos comenzando a agujerear las fronteras que nos impiden percibir una realidad más elevada. Esa realidad más elevada está entretejida con la realidad conocida que vemos y en la cual nos movemos día tras día; no hay distancia entre las dos. Sin embargo, bien podrían estar a millones de kilómetros de distancia.

Junto con la costumbre y la inercia, el temor tiene mucho que ver con la permanencia de la realidad tal y como la conocemos. Ensaye una versión de la prueba que hizo Guinevere. Párese en la oscuridad de la noche en el centro de una habitación que le sea conocida. Camine por ella, acercándose tanto como pueda a los objetos sin tropezar con ellos. Observe cuán difícil es caminar hasta por el recinto más familiar sin una sensación de temor. La mayoría de nosotros le tenemos mucho miedo a la posibilidad de quedar ciegos, debido a la incertidumbre que esto traería consigo; el corazón se nos acelera ante la sola idea de caernos o tumbar alguna cosa.

Sin embargo, ¿no nos demuestra esta prueba que lo conocido no puede protegernos del temor? Por mucho que conozcamos nuestra habitación, la aprensión persiste. Lo mismo sucede con el mundo a la luz del día, salvo que en ese caso el temor está arraigado en un sitio más profundo. En lugar de sentir un ligero temor a causa de la oscuridad, necesitamos un suceso de más trascendencia: un accidente, una interrupción de la rutina, la pérdida súbita de la seguridad. Independientemente de cuán a gusto creamos estar en el mundo de las cosas conocidas, la posibilidad de un desastre jamás se aleja demasiado de nuestro subconsciente.

Hay otro experimento sencillo que le ayudará a darse una idea de lo desconocido. Póngase una venda en los ojos y siéntese en la cocina de su casa. Pídale a un amigo que escoja tres alimentos sin decirle cuáles son, y que le dé a probar un bocado de cada uno. Usted reconocerá rápidamente cada alimento, pero tome nota también de que, durante ese segundo de incertidumbre previo al reconocimiento, saboreará algo nuevo: una textura inesperada, un matiz de sabor, un ligero aroma, que había olvidado que existía.

Allí radica el poder de la incertidumbre. Mientras estemos seguros de las cosas, viviremos dentro de unos límites. Sin embargo, las cosas de las cuales creemos estar tan seguros tienen muchas cualidades aún desconocidas. "Dios hizo este mundo", dijo Merlín, "de manera que debe ser lo suficientemente interesante para mantener viva Su atención. Si descubres que las cosas te cansan, te parecen aburridas o previsibles, quizás es porque has perdido la capacidad de sentir interés". Para el ego es difícil aceptar que se abra el camino hacia la incertidumbre. Sin embargo, es la única ruta hacia el mundo del mago.

Decimacuarta lección

Los magos no sufren ante una pérdida porque
sólo lo irreal puede perderse.
Aunque perdamos todo, lo real seguirá existiendo.
En medio de los escombros de la devastación
y el desastre, hay tesoros ocultos.
Cuando busques entre las cenizas, mira bien.

Como todos los niños, un día Arturo descubrió la muerte. Tenía cuatro o cinco años cuando Merlín lo encontró acurrucado en el bosque mirando atentamente una pila de plumas grises, restos de lo que fuera una golondrina. "¿Qué le pasó?", preguntó el niño.

"Eso depende", replicó Merlín.

"¿De qué?"

"De la manera como veas las cosas. La mayoría de los mortales dirían que es un pájaro muerto. Cuando dicen 'muerto' se refieren a que su vida se ha destruido. Sin embargo, los mortales más sabios miran más a fondo. Reconocen que la muerte no es más que una reorganización. La materia de la cual estaba hecho el pájaro regresa a la tierra para mezclarse con los elementos que le dieron nacimiento".

El muchacho caviló durante un momento. "¿Por qué me siento atemorizado al ver esto?"

"A causa de la memoria. Aunque lo sepas o no, te has formado ideas sobre la muerte desde que eras un bebé, y a medida que éstas se desenvuelven recuerdas el temor y el dolor asociados con esos recuerdos". El niño era muy joven para comprender lo que Merlín decía y, como la mayoría de los niños, dejó de formular las preguntas verdaderamente profundas. Las explicaciones de Merlín le bastaron por varios años, hasta cuando se dio cuenta de que la muerte también podía sucederle a él y no solamente a los animales.

"Creo", dijo Arturo cuando tenía doce años, "que cada vez le tendré más y más temor a la muerte".

Merlín asintió. "A medida que tu experiencia del mundo sea mayor, los recuerdos te asaltarán con más y más fuerza. Pero hay algo más. Los mortales le temen a la muerte porque sienten miedo de perder sus posesiones. Cuando ves un animal muerto, no puedes saber cuál es la parte de él que se ha ido. Después del último aliento, el cuerpo pesa lo mismo; las células son las mismas. Lo único que falta es el aliento, y lo que sea que esté más allá de él.

"Pero los mortales tienen casas con cosas dentro de ellas. Tienen famillias y experiencias atesoradas. La idea de perder todo eso les produce un temor enorme. Pero te diré un secreto. Nada muere en el momento de la muerte. La muerte es un comienzo, no un final. Cuando los mortales le tienen miedo, lo único que hacen es aferrarse a sus recuerdos. Acepta el punto de vista del mago y abre tus brazos a todas las pérdidas, incluso a la pérdida última de la muerte".

"Trataré de hacerlo", dijo Arturo no muy convencido. "Pero la verdad es que hay muchas cosas que no deseo perder".

"Entonces despréndete un poco de ellas y recuerda: todo aquello a lo cual te aferras está muerto, porque está en el pasado. Muere a todos los momentos y descubrirás la puerta hacia la vida eterna".

Para comprender la lección

En un mundo de cambio debe haber pérdidas y ganancias. Aunque para el ego las ganancias son buenas y las pérdidas malas, para la naturaleza no hay diferencia. Siempre que hay creación, es preciso que haya destrucción. "A ustedes los mortales les encantaría abolir la muerte", dijo Merlín, "sin pensar en que el mundo se apiñaría de personas, animales y plantas. El bosque no tardaría en sucumbir bajo su propia fuerza vital, los mares rebosarían de criaturas luchando por espacio y aire, y la delicada hermosura del equilibrio de la naturaleza desaparecería".

El ciclo del nacimiento y la muerte se convierte en asunto de temor y lucha solamente en la medida en que se personaliza. Tras toda una vida de lucha para evitar las pérdidas, para el ego la muerte es la derrota definitiva. Para la mayoría de la gente, la muerte es demasiado abrumadora como para poder enfrentarla; es el tema que entierran en el subconsciente y niegan todos los días de la vida. Otros deciden intelectualizar la negación y convierten a la muerte en un misterio metafísico sobre el cual pueden reflexionar desde una distancia emocional segura.

Los magos dicen que es imposible conocer la muerte pero por una razón diferente: porque la experiencia normal, y con ella nuestra forma normal de saber, se suspenden en el momento de la muerte. La experiencia normal está orientada hacia aquello que podemos ver, oír, tocar, oler y degustar. A esto se agregan el pensamiento y la emoción. Morir significa desprenderse de los sentidos, dejar atrás el mundo material y dirigirse hacia una nueva forma de percepción. "Si sólo supieras que yo ya estoy muerto", dijo Merlín.

"Eso no me parece posible", protestó Arturo. "Para mí, estar vivo significa comer, beber, dormir y tener vivencias. ¿Acaso no haces tú todo eso, al igual que yo?"

Merlín sacudió la cabeza. "¿Por qué piensas que la vida y la muerte no pueden coexistir? Al mismo tiempo que hago todas esas cosas que mencionas, también estoy en un estado de sabiduría, consciente de mí mismo simplemente como yo mismo, sin pensar jamás en nacer o morir. Descubrir ese estado es lo que la muerte nos permite hacer. Si tienes la fortuna de descubrirlo oportunamente, antes de abandonar tu cuerpo, mucho mejor".

"Tienes suerte de no tener que temer más a la muerte", anotó Arturo.

"Cierto, pero tomé una decisión que la mayoría de los mortales evitarían. Decidí perseguir a la muerte y abrazarla como a un ser querido, mientras que ustedes huyen constantemente de ella, como si fuera un demonio. La muerte es muy sensible y, si la demonizan, permanece distante y se guarda sus secretos. De hecho, todo aquello que temes acerca de la muerte es reflejo de tu propia ignorancia. Sencillamente temes lo que desconoces por completo".

Para vivir la lección

La muerte es un suceso definitivo, pero antes de ocurrir deja muchas otras pérdidas de menor cuantía. Si nos tomáramos un momento para pensar en ello, veríamos el patrón de pérdida y ganancia que atraviesa toda nuestra vida. Cuando ocurren, las pérdidas parecen dolorosas, y el ego reacciona inevitablemente ante ellas deseando aferrarse. Sin embargo, el paso de la infancia a la adolescencia es una pérdida desde un punto de vista pero una ganancia desde otro; contraer matrimonio representa la pérdida de la soltería y la ganancia de un compañero. La pérdida y la ganancia son dos caras de la misma cosa. Lo único que produce ganancia absoluta en la vida es la ganancia de la consciencia, que es de lo que se trata esta búsqueda.

"¿Alguna vez se te ha ocurrido que no puedes perder nada, porque nunca tuviste nada en realidad?", preguntó Merlín. "Lo único que has tenido realmente es a ti mismo. Ese yo puede pasar un tiempo en una casa o en un empleo, en presencia de ciertas cosas o con cierta cantidad de dinero, pero con el tiempo todo eso cambia. Entonces lo único que queda es un recuerdo, una imagen, un concepto. Ninguno de ellos es real; son invenciones de la mente. Los pensamientos son como los invitados: llegan y se van mientras tú permaneces. Piensa en los objetos y en las posesiones de igual manera. Todos van y vienen y sólo tú permaneces".

La vida está llena de adversidades, grandes o pequeñas. El ego se ha echado sobre los hombros la carga de proteger la vida. Nos defiende de la pérdida y el desastre y mantiene a raya el concepto de la muerte durante el mayor tiempo posible. Pero el mago acoge toda pérdida o adversidad por las siguientes razones, las cuales podemos aplicar en nuestra vida: todo lo que existe en la creación está hecho de energía. Una vez creada, cualquier forma de energía debe mantenerse durante cierto tiempo. Después de un período de estabilidad, la fuerza vital desea traer algo nuevo a escena. A fin de hacerlo, es necesario disolver esos patrones viejos y desgastados.

Esta disolución ocurre en nombre de la vida, porque sólo la vida nos rodea. Sin embargo, el ego se aferra a ciertas formas de energía que no desea que se disuelvan jamás. Una suma de dinero, una casa, una relación, un gobierno — a su manera, todas ellas son formas de energía a las cuales tratamos de proteger contra el paso del tiempo. La gente lucha hasta la muerte, como dice el adagio, lo cual significa que está dispuesta a defender algo hasta cuando no quede otra alternativa que la disolución.

La verdad es que esas luchas son innecesarias. No se puede luchar para que una rosa florezca. No se puede luchar para que un embrión se convierta en bebé — sencillamente lo hace, siguiendo su propio ritmo. Aunque el ego acepta fácilmente estos hechos acerca de la rosa y el bebé, no logra hacerlo con respecto al dinero, las casas, las relaciones y otras cosas a las cuales se apega. Pero el mago reconoce que las mismas leyes universales lo gobiernan todo en la vida. Después de todo, nuestro ego no tuvo que librar una batalla para traernos a este mundo.

La lucha del ego es una forma de oposición a la vida, porque pretende imponer una *vida artificial*. "La naturaleza retira las cosas por una buena razón y a su debido tiempo", dijo Merlín. "Si deseas tener flores fuera de temporada, puedes bordar unas que duren para siempre. Sin embargo, ¿quién podría decir que esas flores en realidad están vivas?"

Asimismo, cada vez que sentimos la necesidad de controlar y luchar, de retener a las personas, al dinero o a las cosas cuando se van, estamos contrariando la fuerza universal que mantiene todo en equilibrio. "Deberás aprender a confiar para poder renunciar al control. Tu condicionamiento te lleva a desconfiar, porque ustedes los mortales desean desesperadamente creer que son inmunes a los ciclos de la naturaleza", dijo en tono divertido Merlín. "Aunque sus cuerpos nacen, envejecen y mueren, ustedes sueñan con dejar edificaciones y estatuas inmortales, una reputación y cofres atestados de riquezas. Haz lo que desees, pero si quieres escapar del dolor y de la muerte, primero debes escapar del engaño que te hace creer que estás por encima de la naturaleza".

Cuando logramos comenzar a ver las semillas de la oportunidad en los escombros del desastre, la confianza empieza a crecer. La confianza viene por etapas. Primero debemos ver que las nociones del ego acerca de la pérdida son falsas. "El dolor no es la verdad", dijo Merlín. "Es aquello por lo cual los mortales pasan para encontrar la verdad". En segundo lugar, debemos buscar la otra cara del desastre o la pérdida, la semilla minúscula de lo nuevo que desea nacer. "Cuando busques entre las cenizas", aconsejó Merlín, "mira bien". En tercer lugar, debemos reemplazar los lamentos y las culpas por el conocimiento sosegado y seguro de que estamos protegidos en el plan de la naturaleza. Lo que sea que hayamos perdido es temporal e irreal — debía marcharse, no porque la naturaleza sea cruel e indiferente, sino porque cada paso que damos hacia lo real es precioso. Bajo esta nueva luz comenzaremos a ver que la pérdida y la ganacia son solamente una máscara. Debajo se encuentra la luz constante de lo eterno, la cual brilla a través de todo, tejiendo la unidad a partir del caos.

Decimaquinta lección

En la medida en que conocemos el amor,
nos convertimos en amor.

El amor es más que una emoción. Es una fuerza
de la naturaleza y, por lo tanto, debe contener
la verdad.

Al pronunciar la palabra "amor" quizás captamos
la sensación, pero su esencia no se puede expresar
con palabras.

El amor más puro se encuentra donde menos
lo esperamos: en el desapego.

El más puro de los caballeros que sirvió a Arturo fue Galahad, a pesar de tener en común con el rey el hecho de haber sido concebido fuera del matrimonio. Aunque el hecho de que Galahad fuese hijo natural de Lancelot no conllevaba estigma alguno, cuando llegó el día en que debía convertirse en paladín de una dama de la corte, el rey Arturo se opuso y manifestó su descontento.

"No permitiré que seas el paladín de ninguna dama noble", declaró Arturo. Galahad se ruborizó y tartamudeó: "Pero, mi señor, todo caballero debe servir a una dama para demostrarle la pureza de su amor".

"¿Qué sabes tú del amor?", preguntó Arturo de una manera tan incisiva que Galahad se ruborizó todavía más intensamente. "Si estás tan ansioso de luchar por una dama, te presentaré a tres para que escojas". El rey mandó llamar inmediatamente a Margaret, una vieja lavandera de cabello cano y con verrugas en la nariz. "¿Le servirías a ella por amor, gentil caballero?", le preguntó Arturo.

La confusión de Galahad fue enorme. "No comprendo, mi señor", murmuró. Arturo lo miró fijamente e hizo salir a la mujer. "Traigan a otra", ordenó. Esta vez trajeron a una niña recién nacida. "Si Margaret te pareció demasiado vieja y fea, entonces, ¿qué piensas de esta dama? Es de noble cuna y no puedes negar su hermosura". Aunque no había duda de que la niña era muy hermosa, la confusión de Galahad iba en aumento. Sacudió la cabeza.

"Este amor del que hablas es un amo difícil de complacer", dijo Arturo. Mandó llamar a una tercera dama y esta vez entró Arabela, una preciosa niña de doce años. Galahad la miró y trató de reprimir la ira. "Mi señor, es apenas una jovencita y mi media hermana", dijo.

"Pediste una dama a la cual servir", dijo Arturo, "y he sido lo bastante generoso como para presentarte a tres. Ahora debes decidir".

Galahad estaba aturdido. "¿Por qué te burlas de mí de ese modo?", preguntó.

Arturo hizo un gesto con la mano, y en pocos minutos salió todo el mundo del gran salón y ellos dos quedaron solos. "No me burlo de ti", le dijo. "Trato de mostrarte algo que aprendí de mi maestro Merlín".

Galahad alzó lo ojos y vio que el ceño de Arturo se había suavizado. "Mis caballeros dicen servir a sus damas por amor", prosiguió el rey, "y, a pesar de sus votos de amar castamente, la mayoría de las veces sienten pasión por aquellas a quienes sirven, ¿no es verdad?", Galahad asintió.

"Y cuanto más grande es su pasión por las damas, mayor es su celo en servirles, ¿verdad?", preguntó Arturo. El joven caballero asintió de nuevo. "Merlín me enseñó otra forma de amar", dijo Arturo. "Piensa en la anciana, en la niña recién nacida y en la jovencita que es tu hermana. Todas ellas son manifestaciones de lo femenino, y en la medida en que esas formas cambian, lo que llamas amor cambia con ellas. Cuando dices que estás enamorado, lo que realmente estás diciendo es que has satisfecho una imagen que llevas dentro.

"Así es como comienza el apego, con la inclinación por una imagen. Podrías afirmar que amas a una mujer, pero si ella llegara a traicionarte con otro hombre, tu amor se trocaría en odio. ¿Por qué? Porque tu imagen interior ha sido mancillada y, puesto que ésa era la imagen que amabas, el hecho de que haya sido traicionada te provoca ira".

"Qué puedo hacer al respecto?", preguntó Galahad.

"Mira más allá de tus emociones, las cuales cambiarán constantemente, y pregúntate qué hay detrás de la imagen. Las imágenes son fantasías que existen para protegernos de algo que no deseamos enfrentar. En este caso se trata del vacío. A falta de amor por ti mismo, creas una imagen para tapar el vacío. De allí el intenso dolor que causa un rechazo o una traición en el amor, porque deja expuesta la herida abierta de tu propia necesidad".

"El amor es considerado como algo muy hermoso y elevado", se lamentó Galahad, "no obstante, tú lo haces sonar como algo horrible".

Arturo sonrió. "Lo que suele considerarse amor puede tener consecuencias horribles, pero ése no es el final de la historia. El amor tiene un secreto. Merlín me lo contó hace muchos años, como yo te lo confío ahora: Cuando puedas amar a una anciana, a una niña y a una jovencita de la misma manera, serás libre para amar más allá de la forma. Entonces se desatará dentro de ti la esencia del amor, que es una fuerza universal. Y dejarás de sentir apego — el llamado silencioso al cual obedece el amor".

PARA COMPRENDER LA LECCIÓN

Cuando un mago habla de amor, se refiere a algo casi totalmente opuesto a lo que nosotros llamamos amor. Para nosotros el amor es un sentimiento altamente personal; para un mago es una fuerza universal. Para nosotros, el estar enamorados es una condición que con el tiempo se desvanece; el mago no se enamora porque permanece en la corriente del amor mismo. Pero la gran diferencia está en el apego. Hay apego cuando decimos: "Te amo porque eres mío". Esta forma de amor es en realidad una extensión del ego, el cual piensa constantemente en términos de "yo", "mi" y "mío".

"Ustedes los mortales dicen amar cuando se sienten completamente atraídos por otra persona", dijo Merlín. "Su fantasía es poseer a alguien completamente, o bien ser totalmente poseídos. Pero los magos hablan de amor cuando se sienten totalmente libres de apego, sin posesión".

"¿Acaso no es eso simple indiferencia?", preguntó Arturo.

Merlín sacudió la cabeza. "La indiferencia no tiene energía ni vida. El amor del mago es increíblemente vivo y fluye con la energía del cosmos. Para que eso suceda, debes ser como un recipiente vacío. Los mortales están tan llenos de ego que no tienen espacio para nada más. El mago está completamente vacío; por lo tanto, el universo lo puede llenar de amor".

Merlín habló suavemente, casi con ternura. "Enamorarte es una oportunidad maravillosa para ti", dijo. "Normalmente vives seguro tras los muros de tu propio ego. Te agrada la seguridad de tu refugio, tu invulnerabilidad. Con el amor se resquebrajan los muros, por lo menos temporalmente. Quedas expuesto y vulnerable, tal como lo temías, pero la emoción abrumadora del amor te hace vivir el éxtasis, y no una sensación dolorosa como pensabas. En el mejor de los sentidos, enamorarse significa compartir lo desconocido con otra alma, estar dispuestos a marchar juntos hacia la sabiduría de lo desconocido".

Para los magos no hay un amor elevado y otro más bajo —ése es el lenguaje de los juicios, y los magos no juzgan. "Si tu enemigo te insulta", dijo Merlín, "ése es un acto de amor. El impulso del amor se forjó en el corazón de tu enemigo, pero se convirtió en odio al pasar por el filtro de la memoria. Las experiencias pasadas distorsionan el impulso del amor en el momento en que brota hacia la superficie, pero lo que no debes olvidar es que toda expresión podría ser de amor si pudieras verla como es originalmente".

"¿Es posible construir un puente entre el tipo de amor que sentimos los mortales y el que sientes tú?", preguntó Arturo.

"No es necesario construir puente alguno puesto que el amor es uno solo", replicó Merlín. "El amor personal que sientes por otra persona es una forma concentrada del amor universal; el amor universal es una forma ampliada del amor personal. Puedes experimentar ambas formas a plenitud, si te lo permites".

PARA VIVIR LA LECCIÓN

En cierta medida, todos nos enamoramos de imágenes. Llevamos esas imágenes dentro de nosotros, esperando encontrar su equivalente en el mundo externo. Por lo general buscamos a alguien para reflejar nuestra propia imagen o para repararla. Un tipo de amor busca un espejo, mientras que el otro trata de encontrar una pieza faltante. En ambos casos hay una sensación subyacente de necesidad. Al sentirnos incompletos tratamos de reforzar nuestras carencias a través de otra persona.

"Si deseas sentir el amor tal como lo siente Dios, debes llenar todos tus vacíos, porque Dios solamente puede amar a partir del estado de plenitud", aconsejaba Merlín. Ser el amante perfecto implicaría no tener ninguna debilidad o herida secreta que queramos que alguien nos remiende. El primer paso es indagar cuáles son nuestros vacíos y el segundo es llenarlos con el Ser o la esencia. Este proceso suele denominarse aprender a amarnos a nosotros mismos, aunque hay que tener cuidado con ese término. Muchas veces se lo toma como sinónimo de aprender a amar la imagen que cada uno tiene de sí mismo. A los ojos del mago, la imagen de uno mismo no es otra cosa que el ego; es la negación tras la cual se oculta el vacío de nuestras carencias.

Sería más acertado decir que el verdadero proceso de aprender a amarnos a nosotros mismos es aprender a amar nuestro Yo, es decir, nuestro espíritu. Si miramos honestamente nuestro pasado, que llevamos almacenado en forma de miles de recuerdos, siempre encontraremos una mezcla — algunas experiencias pueden haber despertado amor por nosotros o por los demás, y muchas otras no. No es posible convertir en amor los recuerdos de vergüenza, culpabilidad, rechazo, odio, resentimiento y otros sentimientos de desamor. Esas imágenes son lo que son. Es preciso aceptarlas y acercarnos al Yo en un plano más elevado, sin conexión alguna con la memoria.

Lo único que logra la memoria es aprisionarnos dentro de un sentido asfixiante de nuestro pasado personal. Más allá de la memoria está la experiencia silenciosa de Ser, la consciencia simple sin contenido. Ésa es la región del amor, el lugar de nuestro yo, al cual ingresamos a través de la meditación. Existen muchos tipos de meditación; su tradición, tanto en Oriente como en Occidente, se basa en el principio de que todos tenemos un núcleo de Ser o esencia al cual es posible llegar. El acceso no se logra a través del pensamiento o del sentimiento. En realidad, meditar es entrar directamente en la región silenciosa interior.

Usted podrá darse una idea de lo que significa ir más allá de las imágenes por medio del siguiente ejercicio: imagine una mujer hermosa o un hombre apuesto, alguien que represente el objeto ideal de su amor. Visualice a esa persona tan vívidamente como pueda. Después cámbiele el rostro envejeciéndolo cada vez más hasta que la belleza desaparezca y su imagen se vea marchita y arrugada. ¿Es tan intenso su sentimiento de amor como cuando comenzó? A la mayoría de nosotros nos es muy difícil sentir lo mismo por un rostro arrugado y viejo que por uno joven y hermoso. ¿Podemos hablar de amor cuando un simple cambio de imagen provoca semejante alteración?

"¿Por qué cambia el amor?", preguntó Arturo.

"Porque en la emoción del amor siempre está contenido su contrario. El amor más fuerte enmascara un odio igualmente intenso", dijo Merlín. "La única diferencia es que el amor está en flor cuando el odio es apenas una semilla".

Usted también puede ensayar este otro ejercicio: piense en la ocasión en que alguien a quien usted amaba intensamente lo hirió. Pudo haber sido un momento de indiferencia o traición, o una actuación que le hizo ver que la persona amada no era perfecta sino simplemente humana. Sea sincero consigo mismo y recuerde la violencia y rapidez con la cual el amor puede convertirse en otros sentimientos. El odio, los celos, el dolor o la indiferencia que brotaron dentro de usted siempre estuvieron allí en forma de semilla, ocultos detrás del amor que prefería sentir. ¿Por qué lo prefería? Aparte del simple placer, hay otra razón: el ego. El tipo de amor que se apega a otra persona tiene que ver con nosotros mismos, porque lo que lo mantiene vivo no es aquello que es real en el ser amado, sino algo mucho más obligante: nuestra propia necesidad de poseer.

Cuando pensamos que poseemos a alguien más, en realidad estamos buscando una forma de escapar de nosotros mismos, de evitar los temores y debilidades que no hemos aceptado. En lugar de confrontarnos, nos miramos en el espejo del amor y nos vemos perfectamente realizados, en las emociones que sentimos hacia el ser amado. Ésta no es una crítica. Desde el punto de vista del mago, el amor realmente es una forma de experimentar la realización perfecta, pero eso es algo que no puede ocurrir a través de la fantasía. El espejo del amor es una forma divina de ir más allá del ego, pero solamente tras haber llegado al manantial puro del Ser, el cual se esconde como un tesoro secreto dentro de cada sentimiento de amor.

"Recuerda", dijo Merlín, "el amor no es un simple sentimiento sino una fuerza universal y, como tal, debe contener la verdad". Si logramos llegar hasta esa profundidad, descubriremos que todas las emociones son amor disfrazado. Aunque los celos y el odio parecen ser todo lo contrario del amor, pueden considerarse también como formas distorsionadas de volver al amor. La persona celosa busca el amor pero lo hace de manera retorcida; la persona que odia puede estar tratando desesperadamente de amar pero odia en su desesperación de creer que nunca lo logrará. Una vez que dejamos de ver el amor como una simple emoción, vemos la lógica de que exista una fuerza universal que nos atrae a todos hacia ella — ése es el amor del mago. Por lo tanto, debemos honrar todas las expresiones del amor, por distorsionadas que sean. Aunque son pocas las personas que pueden experimentar la plenitud del amor universal, todos vamos por el camino que conduce hacia él.

Decimasexta lección

Más allá de la vigilia, el sueño y la ensoñación,
hay un número infinito de planos de consciencia.
El mago existe simultáneamente
en todas las épocas.
El mago ve versiones infinitas de cada suceso.
Las líneas rectas del tiempo en realidad son los hilos de
una red que se extiende hasta el infinito.

El joven Arturo quiso saber la razón por la cual Merlín lleva-
ba una túnica bordada de lunas y estrellas. "Déjame mostrarte", ofreció el mago. Llevó al niño a la cima de la colina y le
preguntó: "¿Hasta dónde alcanza tu vista?"

"Veo kilómetros de bosque que llegan hasta el horizonte.
No puedo ver nada más", dijo Arturo.

"¿Y qué hay más allá de eso?", preguntó Merlín.

"El fin del mundo, el cielo y el Sol, creo", dijo Arturo.

"¿Y más allá?"

"Las estrellas y luego espacio vacío hasta el infinito".

"¿Y sería eso cierto si te pido que te des la vuelta?", preguntó Merlín. El niño asintió. "Muy bien", dijo el mago. "Ahora,
sígueme". Llevó al muchacho hasta el arroyo donde solían
tomar la siesta vespertina. "Ahora, ¿hasta dónde alcanza tu
mirada?", preguntó Merlín.

"No puedo ver muy lejos en un bosque tan espeso como éste, sólo hasta el último recodo del arroyo", y Arturo señaló un punto que no estaba a más de cien metros de distancia.

"Pero, ¿sabes que el arroyo llega hasta el mar, y el mar hasta el horizonte?", preguntó Merlín. Arturo asintió. "Y después del horizonte, ¿estarían el fin del mundo, el cielo, el Sol, las estrellas y el vacío infinito tal como dijiste antes?", preguntó Merlín.

"Sí", respondió Arturo. Una vez más el mago se mostró complacido y llevó a su discípulo a la cueva de cristal. "Ahora, ¿hasta dónde alcanza tu mirada?", preguntó.

"Hay poca luz y lo único que puedo ver son las paredes de la cueva", dijo Arturo, "pero antes de que lo preguntes, te diré que afuera están el bosque, las montañas, el horizonte, el cielo, el Sol, las estrellas y el espacio infinito".

"Entonces toma nota", dijo Merlín en un tono más fuerte. "Sin importar a dónde vayas, el mismo infinito se extiende en todas las direcciones. Por lo tanto, tú eres el centro del universo donde quiera que vayas".

"Eso parece un truco", protestó Arturo.

"No, el truco es de los sentidos, los cuales te engañan haciéndote creer que estás en un punto específico. En realidad, cada punto del cosmos es el mismo punto, un foco para el infinito en todas las direcciones. No hay aquí o allá, cerca o lejos. A los ojos del mago, sólo hay todas partes y ninguna parte. Al saber esto también tú deberías llevar una túnica de lunas y estrellas. Sin la ilusión de tus sentidos, te darías cuenta de que la Luna y las estrellas están aquí mismo, a tu lado".

"¿Cuándo me daré cuenta de eso?", preguntó el niño.

"A su debido tiempo. A medida que la agitación de tu alma entre en reposo, verás los cielos en tu propio ser".

Para comprender la lección

Si les creemos a nuestros sentidos, el espacio y el tiempo no representan misterio alguno. Desde la cima de una montaña podemos ver que la Tierra se extiende hasta el horizonte y que el Sol avanza por el cielo. El tiempo marcha segundo a segundo y se mueve del pasado al futuro en línea recta. Sin embargo, para un mago el tiempo y el espacio son infinitamente misteriosos. El mago cree en un presente eterno, ve que todos los sucesos ocurren simultáneamente y que todos los sitios son un mismo punto rodeado por el infinito.

"El espacio y el tiempo ordinarios son un velo a través del cual no has logrado ver todavía", dijo Merlín. "Mientras confíes en tus sentidos, permanecerás de este lado del velo. Sin embargo, una vez que vayas más allá de los sentidos, te encontrarás en dimensiones y mundos que ahora no puedes siquiera imaginar. Cada dimensión es un estado de consciencia, y para descubrir nuevos mundos sólo deberás afinar tu consciencia hasta que despierte a esas realidades tan cercanas. En este momento, tú y yo podemos ver el infinito en todas las direcciones, pero lo utilizamos de manera muy diferente".

Para utilizar el infinito es preciso reorientar el concepto mental del tiempo y el espacio, y descartar la percepción cruda de los sentidos. Ya sabemos que el mundo no termina en el horizonte y que el Sol en realidad no avanza por el cielo. Los hechos que reemplazaron esas nociones equivocadas pueden parecer bastante incuestionables, pero en realidad también están abiertos al cambio. El mago, por ejemplo, ve el tiempo como una frágil colección de hilos tejidos momento a momento. Cada vez que tomamos una decisión, creamos un nuevo hilo de sucesos partiendo del momento presente; antes de tomar la decisión, ese hilo de tiempo no existía.

Al ver el tiempo de esta manera, como algo subjetivo y creativo, el mago puede tejer su propia versión de los sucesos dentro de la red, y así alterar el pasado o el futuro. "¿Puede alguien realmente cambiar el pasado?", preguntó Arturo.

"Por supuesto", replicó Merlín. "Ustedes los mortales tienen la costumbre de creer que el presente es producto del pasado y fuente del futuro. Éste es solo un punto de vista arbitrario. Imagina por un momento tu propia versión de un futuro perfecto. Mírate en ese futuro habiendo realizado todo lo que podrías desear en este momento. ¿Puedes verte?" Arturo asintió porque había tenido una visión fugaz de Camelot en toda su gloria.

"Muy bien. Ahora trae el recuerdo de ese futuro al presente. Permite que influya en la forma como has de conducirte de ahora en adelante. Si imaginaste paz y sosiego en ausencia total del temor, vive eso ahora. Siempre que surjan de tu pasado sentimientos conflictivos de ira o temor o carencia, descarta esos recuerdos y actúa con base en los recuerdos del futuro. Deja atrás la carga del pasado y permite que tu visión de un futuro realizado te guíe. ¿Ves lo que ha sucedido?"

"No estoy seguro", replicó Arturo.

"Estás viviendo hacia atrás en el tiempo, tal como lo hace un mago. Siempre tienes la posibilidad de vivir hoy el sueño de mañana. ¿Quién dice que debes limitarte a vivir el pasado? Al vivir hacia adelante en el tiempo, los humanos permanecen fatigados bajo el peso de la memoria; permiten que el pasado cree el presente. El mago prefiere dejar que el presente se forje en el futuro — eso es lo que significa realmente vivir hacia atrás en el tiempo".

"Y entonces habrás cambiado el pasado, al no dejarlo influir sobre tus actuaciones del presente", dijo Arturo.

"Exactamente. Pero ahí no termina. Es posible modificar el

pasado de una manera todavía más profunda. Cuando aprendas que el tiempo es una invención de tu propia consciencia, verás que no hay pasado. Solamente existe el ahora eterno en constante renovación. El único tiempo que existe realmente es el presente. El pasado es recuerdo, el futuro es potencial. Este momento es la plataforma para cualquier futuro posible que puedas imaginar. Por lo tanto, modifica el pasado completamente viéndolo como irreal, como un fantasma de la mente".

Vivir hacia atrás en el tiempo no es una fantasía, puesto que ya estamos viviendo alguna versión del futuro en este momento. En la consciencia llevamos modelos de la forma como funcionan las cosas; esos modelos nos permiten proyectar nuestras expectativas hacia adelante en el tiempo. Prevemos que nuestros amigos seguirán siendo amigos, que continuaremos teniendo familia y trabajo. A un nivel más profundo, el modelo social nos dice que el país y el gobierno continuarán más o menos iguales, y así sucesivamente. En el nivel más profundo, nuestro modelo de la realidad presupone que la gravedad, la luz y otras fuerzas naturales no han de alterarse.

Es tan importante desde el punto de vista psicológico tener un modelo de cómo han de continuar funcionando las cosas, que sufrimos cuando ese modelo se ve amenazado por un cambio profundo o inesperado en nuestra vida; asimismo, utilizamos las proyecciones para conseguir una vida más plena de la que tenemos ahora. Todos tenemos deseos, sueños, temores y creencias — todos ellos proyecciones de nuestros modelos interiores — los cuales nos dan una segunda vida, por así decirlo, basada totalmente en la proyección. A los ojos del mago, la mayoría de las personas parecen trenes que avanzan proyectando su luz brillante sobre la carrilera.

Lo único que ven es lo que su luz abarca, sin dar importancia a la infinidad de posibilidades que hay a ambos lados.

Pensemos que la carrilera es el tiempo. Nuestra estrecha noción del tiempo está directamente relacionada con nuestras miopes creencias. El pesimista cree que nada puede salir bien, con lo cual fabrica su modelo para el futuro. El idealista cree que los valores elevados han de prevalecer, y también ése es un modelo del futuro. Cuando el pesimista se choque con la buena suerte o el idealista vea resultados menos que ideales, ambos preferirán sus modelos en lugar de la realidad. Ésta no es una crítica a la utilidad de los modelos sino una demostración de que no son reales. En lugar de enfrentar directamente el presente, todos vivimos hacia atrás en el tiempo, y utilizamos nuestras proyecciones del futuro para guiarnos en nuestras actuaciones presentes. Pero a diferencia del mago, no lo hacemos conscientemente.

En lugar de caer presas de nuestro subconsciente, el cual nos empuja constantemente a abrazar un futuro previsible, podemos tomar el control de nuestra habilidad para proyectar. Vivamos el más elevado ideal ahora. Veamos un futuro basado en la creencia de que el universo nos cuida, de que crecemos hacia una consciencia mayor, de que el amor, la verdad y la aceptación de lo que somos, ya son nuestros. No es necesario lograr esos estados para vivirlos ahora mismo. Es viviéndolos ahora como podemos lograrlos.

PARA VIVIR LA LECCIÓN

Tal como acabamos de ver, es de vital importancia desmantelar nuestros viejos supuestos acerca del tiempo y el espacio, porque aquello que consideramos como el tiempo y el espacio "reales" son verdaderos prejuicios heredados de la infancia. "La llamo la red del tiempo", explicó Merlín, "porque me veo como una araña sentada en el centro de los acontecimientos, los cuales se desprenden de mí como los hilos de una tela de araña. Se necesita de todos y cada uno de los sucesos para tejer la red, de la misma manera que se necesitan todos los hilos y, no obstante, tengo la opción de seguir uno a la vez, si lo deseo". Para el mago es fácil pasar del tiempo local al tiempo universal, de ver las cosas como acontecimientos aislados a verlas como un todo.

¿Cómo aprender a ver el tiempo como un todo en lugar de una sola línea recta? En la historia, Merlín le mostró a Arturo la manera de verse como el centro espacial del universo indepedientemente del sitio donde se encontrara. Lo mismo se puede hacer con el tiempo. Piense en este momento y después remóntese al día de ayer, al año pasado, a hace diez años. Continúe hasta llegar al día de su nacimiento y después acelere y vea los siglos pasados, la prehistoria, el comienzo del mundo. Lleve la línea del tiempo hasta el nacimiento de la Tierra, del Sol, de las estrellas. Al disolver las estrellas y remontarse al universo primordial, llegará al momento de la gran explosión. Ahora su imaginación quizás no pueda forjar imágenes de un pasado más lejano, pero aun así no tendrá que detenerse. No existe un verdadero comienzo del tiempo, porque para cada momento que denominamos principio, siempre podemos preguntar qué hubo antes.

Asimismo, si usted comienza en el momento presente y avanza hacia adelante en el tiempo, es posible que se le agoten las imágenes cuando visualice el fin del mundo, el fin del Sol, el fin de las galaxias. Pero el tiempo jamás terminará porque de todas maneras podrá preguntarse qué sucederá después. En pocas palabras, el tiempo es una eternidad que se extiende en ambas direcciones, independientemente del momento que uno escoja para el principio. Esto nos dice dos cosas: somos el centro de la eternidad y todos los momentos del tiempo son iguales; lo cual debe ser cierto si la eternidad es igual desde cualquier punto en el tiempo. Se ha dicho que el tiempo es el medio del que se vale la naturaleza para impedirnos experimentarlo todo al mismo tiempo. También podríamos decir que el tiempo es la manera que tiene la naturaleza de dejarnos cumplir nuestros deseos uno por uno, lo cual es, después de todo, la forma más placentera.

De hecho, cada momento es todos los demás momentos y lo que crea la ilusión del pasado, el presente y el futuro es apenas el foco de nuestra atención. La mente es el cuchillo que corta el continuo de espacio y tiempo en trozos concretos de experiencia lineal. Cuando usted pueda utilizar este poder conscientemente, será un mago.

"Escribe las palabras *ninguna parte*", le dijo Merlín a Arturo. "Después escribe *aquí y ahora*. En esas pocas palabras tendrás la verdad sobre el espacio y el tiempo. Tú naciste en un continuo que no tiene principio en el tiempo o el espacio. Siendo infinito y eterno, no vienes de *ninguna parte*. Sin embargo, este continuo infinito y eterno se ha manifestado como este momento. Tu mente y tus sentidos han localizado la eternidad en un punto, que es *aquí y ahora*. La relación entre *ninguna parte* y *aquí y ahora* es la relación entre lo infinito y este momento que vives ahora".

Decimaséptima lección

*Quienes buscan jamás se extravían porque el espíritu
los llama constantemente.*

*Quienes buscan reciben pistas de mundo espiritual
permanentemente. Las personas corrientes
dan a estas pistas el nombre de coincidencias.*

*Para el mago las coincidencias no existen. Cada suceso
existe para develar otra capa del alma.*

*El espíritu desea encontrarnos. Para aceptar
su invitación, debemos estar desprotegidos.*

*Al buscar, comencemos por el corazón.
El corazón es el hogar de la verdad.*

Merlín tenía la extraña costumbre de alegrarse cuando a Arturo le sucedía un percance. Si Arturo regresaba a la gruta con heridas y contusiones porque se había caído de un árbol, el mago murmuraba "Bien", con voz casi inaudible. Una noche, en medio de una tormenta eléctrica, el tronco podrido de un viejo sicomoro casi le cae al niño en la cabeza. "Bien hecho", dijo Merlín por lo bajo.

Aunque el mago pronunciaba sus comentarios en voz baja, para el niño eran como dardos. Se juró a sí mismo ocultarle a su maestro todas sus pequeñas desgracias, pero al día siguiente, mientras cortaba leña cerca de la cueva, el hacha se le resbaló de las manos y en un segundo le atravesó el zapato y por poco le cercena los dedos. Al oír su grito de angustia, Merlín salió rápidamente de la gruta y ponderó el estado del zapato.

"Cada vez mejor", dijo suavemente. En ese momento, Arturo no pudo contenerse más.

"¿Cómo puedes alegrarte cuando me lastimo?", exclamó.

"¿Alegrarme? ¿De qué estás hablando?" Merlín parecía sinceramente confundido.

"Crees que no me doy cuenta, pero cada vez que me sucede algo malo, pareces complacido".

Merlín arrugó el ceño. "No debes escuchar las conversaciones que no son para tus oídos, especialmente si son mis conversaciones internas". Esta respuesta sólo hizo que el niño se sintiera todavía más herido. Estaba a punto de salir corriendo para escapar de la frialdad de Merlín, cuando el mago le puso la mano en el hombro.

"Crees comprenderme, pero no es así", dijo. Y prosiguió con voz más suave. "No me alegraba de tu desgracia. Me alegraba de tus escapadas. ¡Si sólo supieras que esos accidentes habrían podido ser mucho peores!"

"¿Quieres decir que me salvaste del peligro?", preguntó Arturo asombrado. Merlín sacudió la cabeza.

"Tú te salvaste a ti mismo, o por lo menos estás aprendiendo a hacerlo. Los accidentes no existen, a pesar de lo que ustedes los mortales creen. Sólo hay causa y efecto, y cuando la causa está muy lejana en el tiempo, el efecto regresa cuando ya se ha olvidado. Pero puedes estar seguro de que todo lo que te ocurre, bueno o malo, es el resultado de alguna acción pasada". Como era joven y además confiaba en su maestro, Arturo no rechazó esa nueva noción y reflexionó durante unos instantes.

"Estás diciendo que estos percances son como el eco. Si

hubiera gritado ayer y el eco hubiera esperado hasta hoy para retornar, yo ya lo habría olvidado".

"Exactamente".

"Entonces, ¿cómo es posible que esté aprendiendo a prevenir esas reacciones tardías si ya las he olvidado?", preguntó el niño.

"Porque estás más alerta. Las acciones regresan a nosotros una y otra vez desde distintas direcciones. Son tantos los tipos de causas y efectos que funcionan a nuestro alrededor, que debemos estar alerta para verlos. En el universo nada sucede al azar. Tus acciones pasadas no regresan para castigarte sino para llamar tu atención. Son como pistas".

"¿Pistas? ¿De qué?"

Merlín sonrió. "Si te dijera dañaría la pista. Baste con decir que tú no eres quien crees ser. Vives en muchos planos de la realidad. A uno de ellos lo llamaremos el espíritu. Imagina que no te reconoces como espíritu, pero que tu espíritu sí te conoce. ¿Acaso lo más natural no sería que te llamara? Las pistas que caen del cielo son mensajes del espíritu, pero debes estar alerta a captarlas".

"Pero lo único que hice fue cortarme el zapato con el hacha y casi quedar aplastado bajo un árbol. Fue una pura coincidencia que me hubiese resguardado de la tormenta debajo de ese árbol", protestó el niño.

"Eso dices tú, y eso mismo prefieren decir los mortales todo el tiempo. Pero si miras con atención, verás que en todas las coincidencias hay una pista disfrazada. Te toca a ti descifrarla. Sin embargo, te diré una cosa. Si ese árbol te hubiera caído encima, o si te hubieras lastimado hoy, yo no lo habría lamentado. Habría dicho: 'Es difícil hacer caso al espíritu'. Pero como cada vez logras evitar mejor los desastres, puedo decir que estás aprendiendo a escuchar".

Para comprender la lección

De todos los mundos en los cuales habita el mago, los dos más distantes entre sí son el de la materia y el del espíritu. Estos también son los dos polos de nuestra existencia. Es natural ir de un polo al otro, pasar de la fe al escepticismo, hasta que los opuestos se unen. Actualmente, el movimiento es a alejarnos del polo material, aunque éste todavía predomina en la mente de todos. Cuando hablamos de causa y efecto, nos referimos a la interacción de las cosas materiales — el Sol atrae a la Tierra para que gire a su alrededor, el fósforo produce llama cuando se raspa, el rayo hiere al árbol y éste cae. El hecho de que los humanos habiten en este escenario de causas y efectos no interesa; las leyes de la naturaleza actúan independientemente de nosotros.

El mago no acepta este punto de vista materialista. Para Merlín, todos los sucesos de la naturaleza, por insignificantes que fueran, tenían significado humano. Él pensaba así porque miraba hacia el polo opuesto, el mundo del espíritu, para encontrar el sitio donde realmente se originan la causa y el efecto. "Ustedes los mortales deberían ser mucho más engreídos", le dijo a Arturo.

"¿Más engreídos? Si constantemente dices que en la creación no hay nada más atestado de vanidad", replicó Arturo.

"Eso sigue siendo cierto, pero si fueran más engreídos, verían cuán únicos son. El universo está organizado alrededor de su destino y obedece hasta sus caprichos más nimios y, no obstante, ustedes van por ahí quejándose de que Dios y la naturaleza son totalmente indiferentes".

"¿Si Dios no es indiferente, entonces porqué no revela Sus intenciones?"

"Ah, debes buscar para descubrirlo. Es probable que este mundo sea un juego de escondidillas organizado por Dios".

"Entonces sería un juego muy cruel", dijo Arturo sacudiendo la cabeza. "No abrigaría buenos sentimientos hacia un padre amantísimo que se niega a mostrarme su rostro. ¿En qué consistiría entonces su supuesto amor?"

"No estés tan seguro de que la decisión haya sido Suya", advirtió Merlín. "Si Dios parece distanciado, es probable que ustedes lo hayan alejado".

El punto al que se refiere Merlín aquí depende del ángulo desde el cual se miran las cosas. Si vemos el mundo como algo material, entonces los sucesos ocurren sin importar la existencia humana. Por otra parte, si vemos que el espíritu es la fuerza primaria del universo, entonces la aparente indiferencia de la naturaleza podría ser una máscara o contener un mensaje escondido. Los magos ven a través de la máscara, y en cada acontecimiento encuentran un mensaje del espíritu, pero los mensajes permanecen ocultos mientras nuestra percepción esté obnubilada.

Por eso Merlín decía que los mensajes eran *pistas*. Para que haya pistas es necesario que exista un misterio. En este caso, el misterio es la manera como el mundo logra ser a la vez material y espiritual, cómo un mismo acto parece ser obra de un Dios totalmente indiferente o una señal de Su amante presencia.

"No me abandono a las paradojas sólo por gusto", dijo Merlín. "Todo es cuestión de perspectiva. Si alguien corre hacia ti con los brazos abiertos, puedes considerarlo como una agresión si sientes que se trata de un enemigo, o como un abrazo si la persona es amiga. Un bebé puede gritar y patalear cuando la madre le limpia la cara, pero desde el punto de vista de la madre, asearlo es un acto de amor.

"De la misma manera, muchos de los sucesos que denominas desgracias o incluso castigos divinos, en realidad son producto de la compasión, porque Dios siempre toma el camino más amable para corregir los desequilibrios de la naturaleza. Eres tú quien provocas los desequilibrios que Él debe purificar a fin de salvarte de una desgracia mayor".

Las personas que buscan tratan de resolver esta aparente paradoja de la indiferencia y el amor de Dios. Indagan en las crisis que la mayoría de la gente rechaza, porque en el sufrimiento, el fracaso o el desastre es posible encontrar la verdad más profunda. Vale la pena dedicar la vida entera a descifrar el enigma. "No me entiendas mal cuando digo que el espíritu deja pistas por todas partes", dijo Merlín. "No quise decir que las pistas fueran obvias o que fuera fácil penetrar el misterio".

PARA VIVIR LA LECCIÓN

Si el espíritu arroja pistas por todas partes, ¿qué podemos hacer para verlas? Ante todo, debemos estar dispuestos a verlas. Ellas afloran de muchas maneras: el encuentro con una persona en quien estábamos pensando, oír una palabra que acabábamos de recordar, planes que se dañan sólo para revelar un beneficio oculto, notar que nos suceden demasiadas coincidencias como para que sean producto del azar. El espíritu suele comenzar a hablar de esas maneras, que podríamos llamar primeros encuentros. Los percances de los cuales escapamos por poco, los accidentes de los cuales salimos ilesos y las intuiciones que se hacen realidad también forman parte de esta categoría; en todos estos casos, los patrones normales de causa y efecto se estiran y a veces se rompen. Si tratamos de aplicar la clase de lógica que dice que A es causa de B, que a su vez es causa de C, la explicación es incoherente porque las coincidencias son demasiado traídas de los cabellos y demasiado personales. La pregunta no es: ¿Por qué sucedió esto? sino: ¿Por qué me sucedió esto a mí?

Claro está que la misma pregunta puede nacer de la autocompasión — ¿Por qué tuvo que pasarme a mí? Debemos aprender a hacer esta pregunta de otra forma, a partir de una curiosidad despojada de autocompasión. El ego piensa que no puede haber nada de bueno en un percance o un suceso extraño. Sin embargo, todo lo que sucede tiene un propósito *útil*. El espíritu a veces se ve obligado a utilizar una bondad más sutil, a enseñarnos por compasión una lección dura, a fin de que podamos evitar un verdadero desastre. ¿Y qué decir de los verdaderos desastres? Para el mago, las desgracias mayores son lo mejor que puede hacer el espíritu, considerando la enmarañada red de causa y efecto en la cual está enredado cada uno de nosotros.

Sin embargo, muchas veces las pistas de la vida diaria carecen de un significado espiritual manifiesto. Son sencillamente un primer llamado, una señal para que despertemos. Todo el mundo toma nota de los sucesos extraños, pero a menos que los veamos como pista, no podremos indagar acerca de su verdadero significado. Sencillamente los dejaremos pasar sin significado alguno.

Es importante contar con un marco de entendimiento, saber que otro aspecto de nosotros mismos — un espíritu — brilla a través del disfraz del mundo material. Una vez que estamos dispuestos a aceptar que el espíritu podría estar llamándonos, las pistas comienzan a cambiar. En lugar de coincidencias que olvidamos rápidamente, las pistas comienzan a adquirir matices espirituales. En esta categoría podemos incluir las oraciones escuchadas, las experiencias cercanas a la muerte, ver el aura o la luz divina, y sentir la presencia de los ángeles. Hoy día, nuestra sociedad está prestando mucha atención a esas cosas, pero todavía las confunde con "fenómenos". Por definición, un fenómeno es impersonal. Un mago diría que esas pistas en realidad son muy personales, pues tienen por objeto guiar a una persona en particular.

Sin embargo, no es posible descifrar el significado oculto sino cuando pedimos que nos sea revelado. "No esperes que el espíritu te escriba un libro y además te lo lea", dijo Merlín. "Así como la vida es creativa, también lo es el espíritu. Cada pista dirigida a ti está hecha para tu nivel de consciencia. Agradece que el espíritu permanezca oculto, justo a la vuelta de la esquina. Regocíjate de poder buscar toda tu vida, porque si el espíritu te revelara todos sus secretos a la vez, quedarías con recuerdos maravillosos pero frente a un futuro de indiferencia y aburrimiento".

Puesto que el espíritu está siempre en movimiento, creando constantemente nuestra vida a partir del manantial invisible de toda la vida, usted debe estar alerta a cada momento a fin de comprender su forma de manifestarse. Algunas veces, las pistas golpean como proyectiles salidos de la nada, otras veces se cruzan silenciosamente en nuestro camino como un gato que camina en la penumbra del amanecer, y algunas veces sonríen y nos producen el suave temblor de la felicidad. La gran dicha de cruzar hacia el mundo del mago es que el mundo entero adquiere vida. Ya nada nos parece muerto o inerte porque el detalle más insignificante se convierte en una pista dentro de la gran búsqueda de lo que somos realmente. "Respeta tu misterio. No hay nada más profundo", dijo Merlín. "Pero persíguelo incansablemente, y trata de arrancarle el velo a cada segundo. En ello radica la riqueza de la vida — en que cada vez ofrece más con cada pista que revela".

Decimaoctava lección

*Podemos vivir la inmortalidad en medio
de la mortalidad.*

*El tiempo y la eternidad no son opuestos.
Como la eternidad lo abarca todo, no tiene
contrario.*

*A nivel del ego, luchamos por resolver nuestros
problemas. Para el espíritu, esa lucha
es el problema.*

*El mago es consciente de la batalla entre el ego
y el espíritu, pero sabe que los dos son inmortales
y no pueden morir.*

*Todos los aspectos de nuestro yo son inmortales,
hasta las partes a las cuales juzgamos más
duramente.*

Cuando Arturo era un rey muy joven, oyó hablar de un loco que vivía en las profundidades del bosque de Camelot. Algunos le aconsejaron que no prestara atención a esos rumores infundados: "Es apenas un desquiciado que se ha encerrado en una choza y no tardará en morir".

Pero algo vibró en su interior y Arturo convocó a sus caballeros para salir en busca del orate. Tras varias horas de búsqueda, la partida llegó a un claro no muy distante del camino principal que atravesaba el bosque. En medio del claro había una choza hecha de juncos y barro, tan torpemente armada que le salían ramas desnudas por todas partes. Arturo desmontó y se acercó a ella. No tenía puerta, sólo un ventanuco para permitir el paso del aire.

"¿Quién está ahí?", preguntó.

"Alguien que no es de este mundo", respondió una voz débil.

Arturo reflexionó por unos instantes. "Desearía conversar contigo, quien quiera que seas. Sal por orden del rey".

"No tengo rey. Déjame en paz", dijo la voz.

"Pero careces de agua y alimentos. Necesitas ayuda", insistió Arturo.

"No necesito tu ayuda", dijo la voz, y no volvió a pronunciar palabra. Los cortesanos deseaban partir, avergonzados de que el rey se ocupara de un orate. Pero Arturo dio orden de que trajeran a su presencia a cualquier persona que tuviera información sobre el hombre. Varios jinetes se internaron en el bosque y regresaron al rato acompañados de una mujer vestida con harapos.

"Ésta es la esposa", dijo uno de los jinetes, soltando a la mujer quien se mostraba visiblemente atemorizada y confusa.

"No tengas miedo. Sólo deseo ayudar a tu esposo", dijo Arturo.

Aunque temblando todavía, la mujer explicó: "Ya no me reconoce como esposa. Mi William ha jurado permanecer emparedado dentro de la choza hasta que muera o reciba una señal de Dios".

"¿Por qué?", preguntó Arturo.

"El dolor, mi señor. Teníamos un hijo a quien amaba por encima de todas las cosas. Mi Will es leñador y un día salió al bosque con nuestro hijo, que en ese entonces tenía seis años. Will estaba concentrado en su trabajo y, cuando no lo miraba, el niño se alejó. Lo llamamos y lo buscamos hasta la desesperación, pero dos días después, su cuerpecito apareció flotanto en el arroyo. Nuestro hijo se ahogó y mi esposo no se perdona a sí mismo".

La historia entristeció profundamente a Arturo. "El dolor no es motivo para quitarse la vida", dijo.

"Lo mismo digo yo", declaró la pobre mujer. "Pero ha jurado que mientras Dios mismo no venga a decirle por qué se llevó a nuestro hijo, habrá de maldecir al mundo y no querrá saber nada de él. 'Toda mi vida he visto la clase de sufrimiento que Dios permite', dice, 'y no quiero saber más de él. Si no aparece para explicarse, de todas maneras ya estoy muerto en vida'".

A pesar del efecto conmovedor provocado por la historia de la mujer, Arturo no pudo menos que sorprenderse ante esa forma peculiar de entender a Dios. "¿Es cierto el relato de tu mujer?", preguntó dirigiendo la voz a la choza. Lo único que se oyó fue un gruñido ronco, porque Will el leñador ya lo había dicho todo.

"Pasaré la noche aquí conversando con este pobre desgraciado", anunció Arturo, enviando al resto de la partida real de regreso al castillo. Los cortesanos no deseaban dejar a su rey solo en el bosque, pero finalmente él los convenció de que se alejaran y acamparan a media legua de distancia. No tardó en caer la noche sin luna. Arturo se sentó al lado de la choza, envuelto en su capa para protegerse de la humedad.

"En cierta forma me siento más cerca de ti que de cualquier otra persona de mi reino", comenzó. "Soy nuevo en esto de gobernar y siento profundamente el sufrimiento que me rodea. Por todas partes hay pobres, enfermos e inválidos, y su tragedia es también la mía, mientras yo sea su rey. He pasado muchas noches de insomnio preguntándome cómo solucionar los males de este mundo. Parece que podría emplear toda mi vida y mi fortuna en combatir la desgracia que me rodea y, no obstante, al igual que el trigo de primavera, las semillas del infortunio brotarían doblemente fuertes a la siguiente estación".

"Espero a Dios", interrumpió súbitamente la voz proveniente de la choza. "No necesito oír tus discursos. Deja que Él responda por Sí mismo".

"Es justo lo que pides", replicó Arturo. "Pero permite que éste sea mi asunto, pues en ti me veo a mí mismo. Tuve un maestro llamado Merlín, quien me dijo que la única solución contra el mal es no luchar contra él sino darse cuenta de que en realidad no existe".

"Palabras insensatas", dijo la voz. "Busca otro maestro".

"Necesitas oír más", insistió Arturo. "Merlín decía que el bien y el mal se trenzan en combate constantemente; ambos nacieron hace miles de años. Y mientras existan la luz y la sombra, el bien y el mal se perpetuarán".

"En ese caso deberías perder la esperanza y encerrarte conmigo en esta choza, puesto que has visto los verdaderos sentimientos de Dios con respecto a este mundo. Él desea que nosotros suframos", dijo la voz amargamente.

"También me sentí como tú durante mucho tiempo, pero entonces Merlín me enseñó que en la vida hay dos caminos. Por uno de ellos, la persona trata de conseguir la recompensa del cielo y, si vive virtuosamente, alcanzará su meta. Pero hasta en el paraíso hay semillas de descontento y, con el tiempo, por tedio o por temor de no merecer el cielo, la persona comienza a avanzar por el otro camino. Se hunde y pronto se ve sumida en el infierno. Si existe el cielo, también debe existir el infierno, pero es igualmente temporal porque, con el tiempo, la persona se cansa de sus tormentos y comienza a salir de él nuevamente. Por lo tanto, el primer camino que el alma puede escoger es un círculo constante que va del cielo al infierno una y otra vez".

"Si lo que dices es cierto, además de condenados somos también objeto de burla", dijo la voz con mayor amargura. "¿Quién puede amar a un padre que nos muestra el paraíso sólo para enviarnos de regreso al infierno?"

"Tienes razón", dijo Arturo. "Mi maestro me hizo ver eso precisamente. Pero entonces me habló del segundo camino. La clave de él es darnos cuenta de que tanto el cielo como el infierno son nuestra propia creación, que somos nosotros quienes mantenemos activo el ciclo. Como creemos en la dualidad, el mal debe existir como contrario del bien, de la misma forma en que la luz debe tener una sombra para poder ser luz. Al reconocer esto, podemos escoger otra cosa".

"¿Cuál?"

"Renunciar a la dualidad, rechazar tanto el cielo como el infierno. Más allá del juego de los contrarios, decía Merlín, existe una dimensión eterna de luz pura, de Ser puro, de amor puro. 'Toda esta cuestión de bien y mal', decía. 'Deja de tratar de morderte la cola y aléjate de ella'. No puedo hablar por ti, amigo, pero para mí ése es el mensaje de Dios. Si Dios ha de presentarse ante nosotros, habrá de ser a través de lo que nosotros mismos consideremos como posible. Nuestra voluntad es libre y podemos encadenarnos para siempre al ciclo del placer y el dolor. Pero tenemos la misma libertad de apartarnos y no sufrir nunca más".

Arturo dejó de hablar, sintiendo de repente cuán extraño era estar hablando así con un pobre desgraciado al que no conocía. "Lamento haberme entrometido en tu pena", dijo finalmente. "Te dejaré ahora". El hombre de la choza no contestó.

Arturo se levantó y, arrebujándose en su capa, se adentró en el bosque. Apenas había caminado cien pasos cuando sintió un resplandor y el chisporroteo de las llamas a sus espaldas. Temiendo que el orate hubiese incendiado la choza, dio la vuelta y comenzó a correr, sólo para detenerse en seco.

La choza se había convertido en una bola de luz blanca resplandeciente y de ella salió un ángel que dijo: "Dios me dijo que ustedes los mortales conocían un secreto y, como siempre, tenía razón. Ustedes saben que Dios no está sencillamente en el cielo sino mucho más allá, en el ámbito del espíritu puro". Y con esas palabras, el ángel desapareció.

PARA COMPRENDER LA LECCIÓN

La esencia de esta lección se explica en ella y es que en la vida hay dos caminos. El primer camino consiste en aceptar que la dualidad es real, que el bien y el mal a los cuales nos enfrentamos todos los días son un hecho simple y que debemos hacer lo que podamos para luchar contra ellos. El segundo camino consiste en ver la dualidad como algo que podemos elegir. Aunque todo lo que hay en la creación parece tener su contrario, hay algo que no lo tiene: la totalidad. La totalidad del espíritu no tiene contrario porque lo abarca todo. Para escoger el segundo camino debemos estar dispuestos a renunciar a la lucha contra el mal. Ése es el sendero del mago.

No hay duda de que ante el mal siempre reaccionamos con

temor e ira. La lucha nace de esta reacción y como todos deseamos que el mal desaparezca, la lucha parece legítima. ¿Pero qué tal si la ira y el temor son la causa del mal? ¿Qué tal si nuestras reacciones perpetúan el mismo ciclo interminable? A partir de estas preguntas nació el segundo camino. No quiere decir que la lucha sea equivocada y que debamos someternos al mal. Pero el fin del mal es un asunto serio, y los magos se han presentado a la mesa del debate para proponer que ese fin sí es posible, aunque no a través de los medios que hemos utilizado durante tanto tiempo.

Para vivir la lección

No será posible renunciar a la dualidad del bien y el mal mientras ésa sea nuestra única experiencia. Es preciso reemplazar esa experiencia por otra más profunda, una que esté más allá de las palabras. *Totalidad* y *espíritu* serán solamente palabras hasta que adquieran realidad para nosotros. *Realidad* siempre significa experiencia; por lo tanto, la pregunta es cómo experimentar el ámbito de la luz al cual se refería Merlín. "Sé paciente contigo mismo. Se necesita tiempo para que la dualidad se desvanezca", decía Merlín. "Y entonces la unidad brotará automáticamente".

Puesto que el espíritu nos llama constantemente, hay un sinnúmero de oportunidades para entrar en contacto con él. Ya hemos señalado los primeros pasos: estar dispuestos a seguir las pistas del espíritu, meditar para encontrar el silencio puro dentro de nosotros mismos, saber que la meta del espíritu es verdadera y digna de alcanzar.

Esta lección refuerza esos pasos, pero agrega un nuevo ingrediente. A pesar de lo mucho que nos quejamos del mal y luchamos contra él, éste ha vivido entre nosotros desde siempre. Por lo tanto, es fácil perder la esperanza, como el hombre de la choza. Pero su nombre es Will* por una razón — es nuestra libre voluntad la que nos permite romper el ciclo del bien y el mal. Ésta es la promesa que encierra esta lección. El sendero del mago está lleno de compasión, porque resuelve el problema del sufrimiento en la medida en que nos acercamos a la luz del espíritu.

---

* "Will" significa también voluntad. [*N. del Trad.*]

Decimanovena lección

Los magos jamás condenan el deseo. Fue siguiendo
sus deseos como se convirtieron en magos.

Todo deseo nace de un deseo anterior. La cadena
del deseo jamás termina. Es la vida misma.

No consideres inútil o equivocado ninguno de tus deseos
— algún día todos se cumplirán.

Los deseos son semillas a la espera de la estación
propicia para germinar. De una sola semilla
de deseo nacen bosques completos.

Aprecia cada uno de los deseos de tu corazón,
por trivial que parezca. Un día, esos deseos triviales
te conducirán hasta Dios.

Fue un milagroso día de Navidad cuando Arturo sacó la espada de la piedra. Entre toda la multitud que se agolpó para presenciar la hazaña, no había nadie más asombrado que el propio Arturo. "¿Dónde está Merlín?", pensó, seguro de que el mago le había permitido realizar la hazaña por medio de magia. Pero Merlín no apareció.

Ya entrada la noche, mucho después de que todos se habían acostado, Arturo velaba todavía, pensando si su destino, en efecto, era ser rey. "Te necesito, maestro", oró. De pronto vio una luz por debajo de la puerta. Se puso de pie de un saltó y la abrió, pero no era el mago. Era Kay, su hermano adoptivo.

"¿Cómo te encuentras?", le preguntó Kay. Arturo no supo qué decir, pero al entrar de nuevo en la habitación, respiró profundamente. "Alza un poco más la luz", dijo. Kay alzó la vela y la luz alumbró tres objetos que habían aparecido en la cama de Arturo: un muñeco de paja, una honda rota y un espejo agrietado.

"¿Ves esas cosas?", preguntó Arturo con voz extraña. Kay se mostró confundido. "Las veo, pero no significan nada para mí".

"Pedí la ayuda de Merlín y aparecieron estas cosas. Este muñeco fue mi primer juguete", dijo Arturo levantándolo. "Debía de tener dos años cuando Merlín lo hizo para mí. Esta honda rota la hice con la piel de un venado y una horqueta cuando tenía ocho años. Este espejo agrietado lo encontré en el bosque cuando tenía doce años. ¿Sabes qué tienen en común?" Kay sacudió la cabeza. "Fueron las cosas más importantes que tuve, cada una en su momento, y ahora míralas".

"Basura inservible", murmuró Kay.

"Sin embargo, siento una enorme dicha al verlas porque sé que Merlín ha estado conmigo todo el tiempo. Verás, Kay, cuando tenía dos años solamente deseaba juguetes; cuando tenía ocho sólo deseaba cazar golondrinas y ardillas; y cuando tenía doce sólo deseaba mirarme en el espejo para saber si a las niñas les parecería apuesto o feo. Aunque dejé atrás todas esas cosas, cada una de ellas fue un peldaño para llegar a este momento. También algún día depondré la corona, aunque sea mi único deseo y destino ahora".

Kay era un alma simple e intrépida que reverenciaba a la monarquía. Por lo tanto se escandalizó. "¿Por qué habría alguien de deponer la corona?", preguntó asombrado.

"Porque llegará el momento en que será tan trivial

como un muñeco, tan inútil como una honda rota, y tan vana como un espejo. Creo que eso es lo que Merlín quiso que viera".

Para comprender la lección

El deseo ocupa un lugar peculiar en nuestros corazones, porque aunque cada uno de nosotros va por la vida deseando una cosa tras otra, siempre estamos desechando nuestros viejos deseos como si nunca hubiesen tenido importancia. Los deseos nunca terminan, independientemente de cuántos se hagan realidad y, al mismo tiempo, ningún deseo dura lo suficiente como para permitirnos dejar totalmente atrás el hábito de desear.

"Eres humano, y en tu naturaleza está el desear más y más", dijo Merlín. "El deseo es el que te impulsa en la vida hasta que llega el momento en que deseas una vida superior. Por consiguiente, no te avergüences de desear tantas cosas, pero tampoco te engañes creyendo que lo que deseas hoy será suficiente mañana".

Es obvio que los deseos nunca terminan pero, no obstante, eso no ha impedido que algunas personas, por lo general muy espirituales, traten de renunciar al deseo. En Occidente, los cristianos condenan la debilidad de la carne a causa de sus bajos deseos; en Oriente, el budismo culpa al deseo de ser la causa del ciclo interminable de placer y dolor. Pero a los ojos del mago, no hay razón para emitir un juicio en contra del deseo.

"Cuando salgas al mundo", le dijo Merlín al joven Arturo, "serás dueño de un premio que todos los hombres anhelan. Esto pondrá a miles de personas en tu contra y lucharás durante años para ganar tu corona".

"Entonces, no tomaré la corona", dijo Arturo muy atribulado.

"No, ésa no es la solución", replicó Merlín. "El deseo arrastra a los mortales hacia todo tipo de desasosiegos, pero es parte del plan de Dios que tengan deseos".

"Pero el deseo obnubila a las personas y las hace egoístas. Agita la violencia, tal como tú lo pronosticaste. Crea ignorancia y enfrenta a las personas".

"Todos esos son *usos* del deseo", anotó Merlín. "En esto hay un misterio que, como siempre, sólo el que busca podrá resolver. ¿Es el deseo bueno o malo, o ninguna de las dos cosas? Te daré una pista. Para descubrir la verdadera naturaleza del deseo, debes comenzar sin juzgar. Honra a todos y cada uno de tus deseos. Guárdalos en tu corazón. No luches para obtener lo que deseas; confía en que tu espíritu superior te ha hecho concebir el deseo, y deja en sus manos el que éste se torne realidad. Verás que el aspecto malo del deseo no está en el deseo mismo, sino en la lucha de los hombres por hacerlo realidad".

El mago no lucha para que las cosas sucedan como él las desea, para tomar o ganar o poseer las cosas, porque ve el deseo dentro de una matriz más grande planteada por el espíritu. "Visto tal y como es en realidad, el deseo expresa la necesidad última de regresar a la perfección. Desde el momento en que naciste nunca hubo esperanza de que pudieras sentirte realizado con tus logros, tus posesiones o tu condición. Nada externo podría funcionar".

"Entonces, ¿por qué Dios creó tantos objetos de deseo?", preguntó Arturo.

"¿Por qué no? ¿Qué hay de malo en querer más de este mundo si es que vale la pena desearlo?", replicó Merlín. "Considera el deseo como la disposición para recibir lo que Dios desea dar. Este mundo es un regalo; el Creador no fue obligado a hacerlo. Sólo tu capacidad para recibir limita la capacidad de Dios para darte lo que deseas".

"Quizás tengas razón, pero entonces, ¿por qué Dios no se limitó a crear un camino directo para llegar a Él?", preguntó Arturo.

"Sí lo hizo. El deseo *es* el camino directo, puesto que no hay ruta más rápida para llegar a Dios que a través de tus propios deseos y necesidades. ¿Por qué habría Dios de darte algo antes de que tú lo desees? ¿Alguna vez te has preguntado el por qué de tus deseos y de tu juicio en contra de ellos? Juzgar el deseo equivale a juzgar su fuente, la cual eres tú mismo; temerle al deseo implica tener miedo de ti mismo. El problema no radica en el deseo sino en lo que sucede cuando tus deseos se frustran o se bloquean. Es allí donde comienzan la lucha y el juzgamiento.

"Si pudieras ver la forma de cumplir todos tus deseos — que es lo que Dios ha tenido planeado para ti todo el tiempo — te darías cuenta de que sin el deseo no podrías crecer. Imagínate como un niño que nunca hubiera querido dejar atrás los juguetes; sin la fuente de nuevos deseos, quedarías atrapado en la inmadurez perpetua".

Para vivir la lección

El discurso de Merlín sobre el deseo toca una cuerda sensible porque vivimos en una sociedad en la cual podemos tener más y más cosas materiales. Sin embargo, no hemos logrado la felicidad perfecta. Muchas veces, detrás de la riqueza hay un vacío espiritual. Eso no significa que desear una casa, un automóvil y una cuenta bancaria esté mal o sea motivo de vergüenza. El vacío espiritual no es el *resultado* de desear cosas materiales. Se creó cuando volvimos los ojos hacia las cosas externas para esperar de ellas lo que no pueden hacer. Las cosas externas no pueden satisfacer las necesidades espirituales. El dicho según el cual es más fácil para un camello pasar por el ojo de una aguja que para un rico entrar al cielo no es una condena de la riqueza. Sencillamente señala que el dinero no tiene valor espiritual. El dinero no abre la puerta del paraíso.

Los magos siempre han enseñado que el deseo debe verse como un camino. Al principio, los deseos se relacionan con cosas como el placer, la supervivencia o el poder. Pero con el tiempo, el camino del deseo lleva más allá de esas gratificaciones. No son deseos bajos, sino preliminares. De la misma manera que el niño deja atrás los juguetes a cierta edad, el deseo de tener más y más lleva finalmente a la persona a una fase natural en la cual el deseo de Dios desplaza a todo lo demás. "No trates de convertirte en un buscador de Dios", dijo Merlín. "Has sido un buscador desde tu nacimiento, sólo que al principio el Dios al cual buscabas eran los juguetes, después la aprobación, después el sexo, el dinero o el poder.

"Todas esas cosas fueron objeto de tu adoración y las deseaste con pasión. Regocíjate en ellas cuando sean los deseos del momento, pero prepárate para dejarlas atrás. Tu gran problema no será el deseo sino el apego, sentir la necesidad de aferrarse a las cosas cuando el flujo de la vida te pide que las dejes ir".

El ejercicio para esta lección es un experimento de pensamiento puro. Siéntese y piense en lo que desea con más fervor en este momento. Tal vez sea un determinado vehículo o el éxito en una relación. Trate de escoger algo que todavía esté persiguiendo, de tal manera que pueda sentir cuán fuerte es realmente el deseo.

Ahora piense en un deseo que ya se haya hecho realidad. Podría ser su último automóvil nuevo o un proyecto exitoso o una suma de dinero. Comparado con su deseo actual, el viejo se sentirá diferente. No sentirá tan intensamente la ansiedad de perseguirlo puesto que ya ha saboreado su realización. Lo que experimenta a través de este contraste es la forma como la vida lo impulsa hacia adelante. El deseo de ayer tenía su propio impulso, el cual ha pasado a ser del deseo de hoy. Esta fuerza que lo impulsa hacia adelante no es aleatoria. Lo ha llevado desde los caprichos de la infancia, a través de los deseos de la adolescencia, hasta los del adulto.

El camino del deseo es increíblemente poderoso y no termina nunca; solamente cambian los objetos del deseo. Lo que el mago sabe es que, en su nivel más profundo, nuestros deseos contienen el impulso evolutivo de la vida misma. Desear vivir no es un simple instinto de supervivencia — es un camino que se abre ante nosotros. A la vida no le agrada ser bloqueada, ésta es la razón por la cual Merlín dijo que los problemas con el deseo surgen únicamente cuando se atraviesa un obstáculo en su camino. Un bebé sano aprende que cualquier cosa que desea es buena, cuando su madre se complace en satisfacer sus necesidades.

Cuando se establece un modelo positivo del deseo desde temprana edad, el bebé crece con deseos naturales concordantes con sus verdaderas necesidades. De hecho, una persona psicológicamente sana puede definirse como alguien cuyos deseos en realidad le producen felicidad. Pero si al bebé se le graba la noción contraria, que los deseos son vergonzosos y se satisfacen a regañadientes, el deseo no se desarrollará de una forma sana. Más adelante, el adulto continuará buscando satisfacción en las cosas externas, necesitando cada vez más poder, dinero o sexo para llenar un vacío creado cuando era bebé; la persona cree que su existencia misma es un error.

En casos extremos, el deseo se distorsiona hasta tal punto que su necesidad se convierte en el ansia de matar, robar, emplear la violencia y demás. Estos deseos pueden causar daños inconcebibles, tanto a nivel personal como social. Sin embargo, nadie sabe al ver a un asesino o a un ladrón, en qué punto se extraviaron sus valores. Para el mago, todos los deseos se originan en el mismo sitio, en el punto donde la vida sencillamente desea expresarse a sí misma; el problema radica en la obstaculización o la condena del deseo. Las manifestaciones nocivas del deseo sencillamente reflejan el daño de una psique que necesita desesperadamente conocerse a sí misma, como nos sucede a todos nosotros, pero que ha fracasado en su intento — por lo menos hasta ahora.

Por consiguiente, es de vital importancia comprender la naturaleza de nuestros deseos, reconocer que, de acuerdo con el plan divino, todos los deseos están hechos para cumplirse. Dios no nos impide tener todo aquello que deseamos. Somos nosotros quienes creemos en el fondo que no merecemos nada. Esa forma de juzgarnos crea bloqueos en el flujo natural de la vida, pero una vez que éstos desaparecen, el camino del deseo se convierte en dicha porque es la ruta más corta y más natural para llegar a Dios. No hay deseo trivial, porque todo deseo posee significado espiritual. Cada uno es un pequeño paso hacia el día en que deseemos la más elevada realización, a saber: conocer nuestra naturaleza divina.

Vigésima lección

El mayor bien que puedes hacerle al mundo
es convertirte en mago.

Era el último día que pasarían juntos. El joven Arturo estaba parado al lado del camino que conducía hacia afuera del bosque. Mirando por encima del hombro trató de ver el claro de Merlín, pero éste había desaparecido. Un espeso parche de bosque, que había crecido de la noche a la mañana, se lo había tragado y, con él, la entrada a la cueva de cristal. Arturo sintió el vacío de la pérdida, seguro de que ésta afectaría a todos los mortales y no solamente a él.

"No regresaré jamás, ¿verdad?", preguntó. Merlín, quien se encontraba a su lado, sacudió la cabeza.

"No hay necesidad de que lo hagas. Ya terminaste conmigo".

"Dudo que algún día pueda terminar contigo", pensó Arturo. Le parecía que incluso después de tantos años de entrenamiento, tenía muchas más cosas que preguntarle a su maestro que el primer día. Leyendo su mente, el mago dijo: "Quise darte un obsequio de despedida y no se me ocurrió nada mejor que esto". Señaló el camino sobre el cual estaban parados, el cual también había aparecido de la noche a la mañana. "Los senderos son la señal del mago. ¿Sabías eso?"

"No".

"Entonces recuerda mis palabras. Un mago es alguien que enseña alejándose y cuando tú mismo puedas alejarte, serás un mago. Aunque creas poseer una parte de esta tierra, en realidad sólo caminas sobre ella. En espíritu eres el polvo del camino, la inquietud del viento. Ustedes los mortales construyen casas para protegerse del mundo. Para un mago, el hogar es este momento, y los momentos siempre están en movimiento..."

"Por el camino del tiempo", añadió Arturo terminando la frase. Conocía de memoria muchas de las enseñanzas de Merlín.

"Sí", convino Merlín. Los dos guardaron silencio. El muchacho miró por el rabillo del ojo para ver si Merlín estaba triste o por lo menos acongojado por su partida. La expresión del mago no denotaba ni una cosa ni otra.

"Veo que no me crees del todo", dijo Merlín. "Pero alejarte de mí es en realidad el mejor obsequio que puedo darte". Y con eso, los indecisos pies del muchacho comenzaron a andar. Había un recodo a noventa metros de distancia y cada paso que Arturo daba hacia él parecía cambiarlo un poco. Los años que había pasado al lado de Merlín parecían desvanecerse en un sueño, al tiempo que aumentaba su curiosidad por conocer el mundo.

Para cuando llegó al recodo, no pudo resistir las ganas de ver lo que había más allá. Toda la acción y el deseo de un mundo que nunca había conocido se convirtieron en algo de lo cual ansiaba ser parte; ahora sus pies volaban en su anhelo de salir del bosque. La imagen del propio Merlín se diluyó en su mente hasta quedar solamente una voz que decía: "Te he llevado a los lugares recónditos de tu alma. Ahora deberás encontrarlos nuevamente, esta vez por ti mismo". Al cabo de un momento, también la voz se desvaneció. El muchacho pasó el recodo, levantó el polvo con un salto de alegría y sonrió. En ese momento supo que cada vez que viera un camino pensaría en Merlín.

Para comprender la lección

Andar un camino es señal de desapego, y los magos enseñan que la verdadera libertad está en el desapego. Una persona libre vive en el espíritu, de la misma manera que el mago, y puede hacer mucho más bien que el que podría hacer por fuera del espíritu. Nuestra sociedad no acepta aún este punto de vista, porque usted y yo y todas las personas a quienes conocemos hemos sido condicionados para pensar de otra manera. Estamos apegados a todo y creemos que lo que hace funcionar la vida es el apego.

Nuestro sentido de apego comienza con nuestra relación con esta Tierra. Los mortales, dicen los magos, viven bajo la ilusión de que son dueños del mundo y controlan su destino. Desde el punto de vista de los magos, el mundo tiene un espíritu que supervisa nuestro bienestar; vivimos al abrigo de ese espíritu y tenemos la capacidad de forjar nuestro propio destino. Pero no es posible poseer o controlar al espíritu. "¿Deseas poseer el mundo entero, no es así?", le preguntó Merlín a Arturo.

"No, creo que no", replicó el muchacho.

"Ah, sí lo deseas, créeme. Ustedes los mortales son como la chispa que ha de incendiar todo un campo algún día. La chispa parece insignificante, pero se disemina cada vez más".

"¿Quieres decir que destruiremos el mundo?", preguntó Arturo.

"Eso depende. No es posible destruir el espíritu y si llegas a considerarte un espíritu, te unirás al espíritu de la Tierra. La alternativa es hacer caso omiso del espíritu y, si optas por ese camino, esta Tierra no te interesará para nada. Su dolor no apelará a ti".

Merlín señaló una gran roca. "Patéala", dijo. Arturo obedeció.

"¡Ay!", se quejó.

"Raro", comentó Merlín. "Fue la roca la que recibió la patada y, no obstante, fuiste tú quien gritó".

"¿Qué tiene eso de raro?", se quejó Arturo, sospechando que el mago lo había hecho patear más fuerte de lo que él había planeado.

"Ésta fue una lección sobre el espíritu. Cuando pateaste la roca, te lastimaste a ti mismo. La roca no protestó, porque la Tierra jamás lo hace. Ella está segura en el espíritu. La lección de la Tierra para ustedes, los mortales, es su seguridad en el espíritu. Pero si sientes ira a causa de tu lesión, la cual la roca se limitó a devolverte, tenderás a hacer caso omiso del espíritu. Querrás aplastar la roca, destruirla y utilizarla para tu beneficio, todo porque la Tierra es lo suficientemente gentil como para no gritar cuando la lastimas".

Es parte de la naturaleza del espíritu no protestar. No hay forma de lastimar al espíritu, y aunque los humanos hemos causado un daño asombroso a la Tierra, el resultado final siempre será que acabaremos dañándonos a nosotros mismos. No respetamos nuestro propio espíritu. Nos vemos a nosotros mismos con temor e ira. "Has perdido la fe en la fe", dijo Merlín. "Pareces no confiar en la confianza". Lo que esto significa es que las cualidades del espíritu, entre ellas el amor, la fe, la confianza, deben conocerse y experimentarse para que sirvan de algo.

La mayoría de las personas batallan contra su voluntad; recurren al miedo y a la ira porque sienten que esos son los caminos que les han sido impuestos. La voluntad para vivir en paz depende de no dejarse guiar por esas energías negativas, y eso sólo puede lograrse siguiendo el sendero del mago. "Si deseas hacerle bien al mundo, abandona todo tu egoísmo y conviértete en mago", decía Merlín. "Si deseas hacerte bien a ti mismo, sé completamente egoísta y de todas maneras conviértete en mago". Aunque esto puede sonar paradójico, en últimas todo espíritu es espíritu. Todos vamos por el mundo como individuos, pero también como parte de la Tierra. Por lo tanto, en la medida en que nos reconquistamos, recuperamos al mundo.

Para vivir la lección

Los magos no desestimulan el impulso de hacer el bien. Desapego no es sinónimo de indiferencia. "Cuando veas el sufrimiento, apresúrate a aliviarlo", dijo Merlín, "pero cerciórate de no salir con el sufrimiento pegado a ti". Este consejo llega directo al corazón de la compasión. La raíz de la palabra *compasión* es "sufrir con", y ésa es la forma como la mayoría de nosotros la interpretamos. Suponemos que la persona compasiva es la que asume el sufrimiento de otra; sin embargo, si eso fuera cierto, la compasión duplicaría el sufrimiento del mundo en lugar de aliviarlo.

La verdadera compasión no es negativa. Podemos sentir el dolor del otro pero permanecer seguros en el espíritu. La Tierra se comporta de esa manera con nosotros. Aunque el drama de los asuntos humanos se representa sobre el escenario de la Tierra, en sus campos que teñimos de sangre y en sus playas donde amasamos nuestra riqueza, ella permanece desapegada. Los bosques, los campos, las playas y las montañas no se alzan y caen por causa nuestra.

Si no aceptamos que la Tierra tiene espíritu, ese desapego se convierte en indiferencia. En nombre de la indiferencia estamos saqueando la Tierra. La compasión por ella será posible únicamente cuando unamos nuestro espíritu al de ella.

¿Qué se necesita para unirnos al espíritu de la Tierra? Este libro es un intento por ofrecer una respuesta. El sendero del mago se originó en el mito, en la memoria profunda de la humanidad, cuando aún nos refugiábamos en los bosques primordiales. Merlín representaba entonces un espíritu de la naturaleza dotado de gran magia y poder. Hoy no hay espíritus de la naturaleza porque los mortales decidieron apartarse de ella. El viejo impulso de vivir dentro de la naturaleza dio paso a su contrario, el impulso de conquistarla.

Este impulso se ha impuesto casi hasta el punto del desastre. En todas partes se oye el clamor en pro del regreso a la naturaleza, quizás en la última hora. Los magos nunca se apartaron de la naturaleza, de modo que no tienen sitio al cual regresar. Nos esperan para acogernos cuando retornemos al espíritu. Sus secretos revelan que, si deseamos reunirnos con la naturaleza, el camino es recuperar nuestra propia naturaleza, la cual es la consciencia pura. "Allá afuera" no hay otra cosa que el reflejo de lo que hay "aquí adentro". Si deseamos regresar al hogar, debemos reconocer que el hogar es el momento presente.

Todo el poder y la realización que los hombres ansían existen en este momento. En el ahora se esconde una energía tremenda, más grande de lo que la mente puede imaginar. Nada podría estar más cerca y, sin embargo, nada se aleja con tanta rapidez. Ése es el misterio y la paradoja. Para resolverlos, debemos reconocer que *somos este momento*. Todo el poder presente aquí debemos encontrarlo en nuestro interior. Todo el mundo tiene días llenos de energía, emoción y optimismo, y otros marcados por la fatiga, la confusión y el pesimismo. ¿En qué radica la diferencia? Algunas personas creen que la respuesta está en los ciclos biológicos, o en la acción de unas fuerzas aleatorias, o en el destino, o en la suerte. Pero los magos dicen que la respuesta está en la capacidad para estar presentes. Cuando estamos presentes en el momento, tocamos la fuente de la vida. El tiempo mismo fluye a partir de este momento y de ningún otro. Por lo tanto, para ir montados sobre la cresta del tiempo, necesitamos toda la energía de la cual podamos hacer acopio, y esa energía se encuentra dentro del momento.

Es imposible no preguntarnos cómo fue que el momento presente se nos fue. Usted puede responder ese interrogante por medio de un ejercicio simple. Siéntese unos segundos y piense en la forma como opera la memoria. ¿Qué hace cuando ve el rostro de una persona pero no recuerda su nombre? Si se esfuerza en recordar, el esfuerzo mismo parece sofocar el poder para recordar. Pero todos hemos tenido la experiencia de recordar un nombre o un rostro olvidado cuando menos lo esperábamos. El simple hecho de dejar de pensar en el asunto parece activar el poder para recordar.

El deseo funciona de la misma manera, aunque pocas personas reconocen su mecánica. Como todos deseamos cosas, nos es fácil caer en la trampa de trabajar, preocuparnos y luchar constantemente para obtener lo que deseamos. Sin embargo, los magos dicen que cuando dejamos de pensar en las cosas, la mecánica del deseo se ocupa de todo. Aunque esto parece misterioso, piense en esto: ¿Realmente sabe cómo regresan a la mente los recuerdos perdidos? La mente consciente no puede obligarlo a recordar las cosas y, no obstante, es muy capaz de recuperar todas y cada una de las cosas que ha conocido.

Asimismo, la mente consciente no puede medir la forma como el universo hace realidad los deseos. Y lo mismo que la persona que lucha en vano por recordar un nombre, la gente se esfuerza desesperadamente por satisfacer sus deseos, sin darse cuenta de que el esfuerzo es el problema, no la solución. Aunque ya hemos cubierto estos puntos en el libro, me gustaría presentarlos nuevamente en un plano más profundo. En este momento usted es un mago. Se ha perfeccionado en el espíritu; jamás se ha separado de Dios o de la naturaleza. Lo único que ha sucedido es que, en su lucha por no sentir dolor, ha comenzado a bloquear el momento presente. La memoria y el deseo ocultan el espíritu. Lo hacen porque hace mucho tiempo usted comenzó a temer por su seguridad aquí en la Tierra. La inseguridad es el motivo por el cual atacamos a la Tierra, porque si confiáramos en que contamos con sustento y apoyo, ninguno de nosotros perseguiría la supervivencia de una manera tan histérica.

"Confía en la confianza, ten fe en la fe", decía Merlín. "Ésa es la única solución cuando se han perdido la confianza y la fe". Dentro de nuestro corazón no somos otra cosa que confianza. El ser y el amor también son parte nuestra, pero es la confianza la que nos permite respirar tranquilamente, aceptar el espíritu de la Tierra como nuestro. Y la técnica para recordar esto es tan simple como la técnica para recordar cualquier otra cosa: permitirnos dejar de creer que la lucha es la respuesta. Apreciemos en silencio la vida que nos sale al encuentro a cada momento. Con esta aceptación silenciosa viene la enorme energía que está escondida en el presente y, con esa energía, la abundancia, la paz, la inteligencia y la creatividad. Todos ellos son los obsequios del silencio envueltos dentro del espíritu de la Tierra.

Tercera parte

LOS SIETE
PASOS DE
LA ALQUIMIA

En la época del rey Arturo no había otra búsqueda que despertara más pasión que la búsqueda del Santo Grial[*]. Cada uno de los caballeros de Arturo soñaba con obtener ese esquivo trofeo que traería al rey la protección y la bendición de Dios. Era común encontrarse con caballeros que hacían penitencia para recibir una visión del Grial, y los artistas competían entre sí para pintar una imagen de la Última Cena más espléndida que la anterior.

"Es casi imposible convencer a los mortales de que las aventuras no se emprenden en busca de cosas externas, por sagradas que sean", le había dicho Merlín a Arturo una vez. El rey recordaba esas palabras siempre que la fiebre del Grial alcanzaba su punto máximo, lo cual solía suceder durante los largos y oscuros meses de invierno, cuando los caballeros caían presa del aburrimiento y el desasosiego. Los más jóvenes, en particular, vivían impacientes por viajar a Tierra Santa o al castillo de Monsalvat o a cualquier otro lugar, mítico o real, donde pudiese estar guardado el Grial.

El rey se mantenía alejado de todo ese fervor. "Si desean ir..." decía arrastrando la voz.

"¿Qué? ¿No crees en el Grial?", preguntó Sir Kay impetuosamente. Considerado hermano del rey desde antes de que

---

[*] Según la tradición, el Santo Grial fue el cáliz que usó Jesús en la última cena. [*N. del Ed.*]

Arturo retirara la espada de la piedra, Kay se tomaba libertades que nadie más se atrevía a tomar.

"¿Creer? Imagino que tendría que decir que sí", replicó quedamente Arturo, "pero no de la manera como tú piensas, no de la misma forma como tú crees".

Esa respuesta era demasiado sutil para Kay, quien se mordió los labios para no hacer una pregunta más insolente.

"¿Es real el Grial, mi señor?", dijo Galahan en un tono mucho más suave.

"Preguntas como si creyeras que lo he visto", dijo Arturo.

"Yo no sé si creerlo", tartamudeó Galahad, "pero circulan rumores".

"¿Qué clase de rumores?"

"Sobre Merlín. Se dice que él mismo trajo el cáliz desde Tierra Santa, donde había permanecido oculto durante muchos siglos".

Arturo reflexionó sobre eso unos segundos y dijo: "Al igual que todos los rumores, hay una pizca de verdad en éste". Hubo un movimiento entre todos los presentes, porque era la primera vez que el rey admitía conexión alguna con el codiciado tesoro. Pero después Arturo guardó silencio.

Una noche al comienzo de la primavera, cuando el hielo despejaba los campos y los junquillos brotaban entre las rosas marchitas de Navidad, se veía una hoguera a gran distancia de los muros del castillo. Alrededor de ella estaban Sir Percival y Sir Galahad, quienes habían prometido partir juntos a un retiro santo. Era demasiado pronto para internarse en la espesura del bosque, donde las últimas nieves del invierno todavía formaban montones sucios bajo la sombra de los árboles, de tal manera que los dos caballeros oraban y ayunaban al abrigo de una pequeña tienda que se alcanzaba a ver desde la recámara del rey.

"Una vez pensé que mi sueño de conseguir el Grial era un capricho ocioso", comenzó Percival. "Todo caballero desea ser el primero entre campeones, pero durante años le di la espalda a mi deseo por considerarlo juguete de mi orgullo. Pero te digo, Galahad, que mi alma arde por esa cosa".

"El rey dice que no es una cosa", le recordó el joven.

"También dice que Merlín lo trajo a Inglaterra. Tú mismo lo escuchaste, ¿no es así?" La voz de Percival insinuaba un desafío y Galahad se limitó a asentir con la cabeza. "Algunas veces, la penitencia y la oración encienden más fuegos de los que apagan", pensó. Galahad debía admitir ciertamente que compartía el deseo ardiente de Percival.

"Si hay alguien destinado a capturar el Grial, seguramente es uno de nosotros", dijo tirando al fuego unas ramas secas de avellano y observando cómo se avivaba. "Somos el único grupo de caballeros que vive verdaderamente para proteger la paz y no para asolar el país y sembrar el terror. No sé si mi corazón es lo suficientemente puro para alcanzar el Grial — no soy tan vanidoso o estúpido como para creer que ha de caer en mis manos — pero mi corazón continuará adolorido mientras no lo intente".

En ese momento escucharon el ruido de pasos que avanzaban sobre la delgada capa de hielo que todavía cubría el suelo de los alrededores. Se pusieron alerta, esperando que el extraño se identificara, cuando una voz ligeramente burlona dijo: "No teman y les ruego que me permitan pasar. Necesito el calor del fuego, si fueran tan amables de compartirlo".

Percival miró a Galahad y luego le habló a la oscuridad: "Vete y enciende tu propio fuego. Somos dos caballeros en retiro y no debemos entrar en contacto con las impurezas del mundo durante un tiempo". La respuesta fue una risa burlona.

"¿Que encienda mi propio fuego, dices? Entonces eso es lo

que haré". No acababa de pronunciar esas palabras cuando Percival se paró de un salto al sentir que el suelo se encendía en llamas bajo sus pies. Galahad miró asombrado a su alrededor y se vio encerrado en un círculo de fuego que había brotado del corazón helado de la tierra. Antes de que pudiera proferir palabra, una figura alta, esbelta como un pino añoso, atravesó las llamas y se paró sobre ellas.

"Merlín", dijo Galahad, tratando de contener sus emociones. "¿Qué te trae por aquí después de tan larga ausencia?"

"No tu insolente amigo", replicó Merlín, mirando de reojo a Percival, quien hacía grandes esfuerzos por mantener el mínimo grado de dignidad que puede mostrar un hombre a quien se le quema la espalda. "Siéntense, siéntense", dijo el mago. Percival sintió que el embarazoso dolor desaparecía y se sentó al lado de Galahad, al frente de Merlín. Ninguno de los dos lo había visto jamás, pero la descripción de Arturo había sido perfectamente fiel, hasta en lo que tocaba a las viejas y raídas zapatillas de cuero negro.

"No se queden mirándome", dijo Merlín. "Estoy pensando".

"¿En qué?", preguntó Percival.

"Y no me interrumpan", fue todo lo que respondió el mago. Al cabo de unos momentos se suavizó su expresión un tanto gélida. "Sí, creo que dices la verdad. Ahora el único problema es saber qué hacer con ella".

"¿La verdad sobre el Grial?", preguntó Galahad. "Claro que deseamos emprender esa búsqueda". Merlín lo miró con aprobación. "Me reconociste sin necesidad de tontas presentaciones y ahora estás cerca de leerme la mente. Muy prometedor", dijo. Por su natural modestia, Galahad agachó los ojos esperando que Percival no le envidiara ese halago inesperado.

"Su rey habló acertadamente", dijo Merlín. "El Grial no es

un objeto tras el cual puedan cabalgar como en la cacería del zorro. No está hecho de oro o gemas y, por lo tanto, de nada serviría acapararlo en secreto. Y poseerlo no confiere la bendición de Dios, como tampoco no poseerlo".

Percival, que se sentía cada vez más impaciente, finalmente interrumpió: "¿Cómo puedes decir eso? El Grial *debe* conferir la bendición de Dios".

Merlín lo calló con una mirada severa. "Mi querido zoquete, si todo este mundo es creación de Dios, cómo podría una parte de él, por distante, pequeña o insignificante que fuera, ser menos bendita que otra?"

"Pero el Grial existe, ¿no es así?", preguntó Galahad. "El rey nos dijo que tú lo proteges".

Merlín asintió. "Protejo lo que no necesita protección, oriento la búsqueda que no conduce a ninguna parte y, al final, estaré ahí cuando ustedes encuentren el Grial, aunque no nos verán ni a él ni a mí". Merlín se veía bastante alegre con su adivinanza y calmadamente sopló una bocanada de humo como si el tabaco ya se hubiera descubierto.

Percival se puso de pie súbitamente. "Bueno, si soy el zoquete aquí, permítanme dejarlos".

La actitud de Merlín se suavizó un poco. "Eres lo que eres, lo cual parece ser suficientemente bueno a los ojos de Dios y suficientemente extraño en este mundo sin esperanza", murmuró. "Toma tu lugar, por favor". Todavía algo disgustado, Percival aceptó la cortés invitación.

"No he venido a esta hoguera por casualidad. Estoy aquí para guiarlos hasta el Grial", declaró Merlín. "Hay una regla imposible de desobedecer; cuando el alumno está listo, el maestro aparece. Yo puedo enseñarles lo que desean saber. Mis observaciones iniciales no fueron groseras ni místicas. Sólo deseo que despejen sus mentes y se liberen de los sueños equivocados que puedan tener acerca del objeto de su búsqueda".

Con un movimiento de la mano, Merlín redujo el círculo de fuego a un resplandor mortecino, de tal manera que era casi imposible distinguir sus rasgos a la luz del rescoldo. Los dos caballeros lo veían como una sombra larga con una corona de cabello blanco iluminado por la Luna.

"La búsqueda cuyo trofeo es el Grial no es una aventura de aquéllas que los caballeros ignorantes anhelan emprender. Es una travesía interior, una aventura de transformación. ¿Los dos han oído hablar de eso que llaman alquimia?" Recortados como sombras contra una oscuridad todavía mayor, Percival y Galahad asintieron. "La alquimia es el arte de la transformación", continuó Merlín, "y sólo cuando se han completado sus siete pasos es posible obtener el Grial".

"¿Siete pasos?", preguntó Percival. "Entonces, después de todo el Grial sí es de oro, porque sé que los alquimistas..."

"Tonterías y basura. Sabes muy poco o nada sobre ese arte y, no obstante, lo has practicado desde el día en que naciste", replicó Merlín. "Cada bebé nace alquimista y después pierde su arte, sólo para recuperarlo posteriormente". Percival finalmente se dio cuenta de que el mago continuaría con las adivinanzas si él insistía en dudar de su palabra; por lo tanto, optó sabiamente por sentarse y escuchar.

"El más grande desperdicio en la existencia", continuó Merlín, "es el desperdicio del espíritu. Cada uno de ustedes los mortales vino al mundo para buscar el Grial. Ninguno nace con más privilegios que los demás; el mago sabe que todos han sido creados para llegar a la libertad y a la realización".

"¿Acaso no soy libre ya?", preguntó Percival.

"En el sentido más elemental, sí, puesto que no eres prisionero; pero me refiero a una libertad más profunda: la capacidad para hacer cualquier cosa que desees cuando lo desees", replicó Merlín. "Y hay niveles todavía más profundos. Debes admitir que eres cautivo de tu pasado — tus recuerdos crean el condicionamiento que literalmente maneja tu vida. Si estuvieras libre del pasado, podrías entrar en un ámbito de posibilidades infinitas, y romper la barrera de lo conocido en cada momento. El Grial es solamente la promesa visible de que esa perfección existe. ¿Me comprendes?"

Ahora que había entrado en materia, el mago no esperó la señal de asentimiento. "He dicho que en el camino hacia la libertad y la realización hay siete pasos de alquimia. El primero comienza con el nacimiento, otros pocos se cumplen durante la infancia, y los demás quedan en las manos de cada uno. Dentro del plan divino, ustedes siempre están protegidos, pero a medida que crecen su voluntad y deseo propio aumentan. Cuando nacieron eran lo suficientemente puros para tomar el Grial, pero demasiado ignorantes para conocer su existencia. Como adultos conocen la meta, pero ya han cerrado el camino para llegar a ella. La concesión del libre albedrío fue lo que los llevó a perder el Grial, pero al mismo tiempo constituye el medio para recuperarlo al final".

Temiendo las constantes objeciones de Percival, Galahad se apresuró a intervenir: "¿Querrías enseñarnos los siete pasos?" Merlín permitió que una sonrisa leve de reconocimiento se dibujara en sus labios antes de acceder a la petición.

PRIMER PASO – LA INOCENCIA

"Ustedes nacieron en estado de inocencia. De todos los ingredientes empleados por los alquimistas, éste es el más importante. Un recién nacido no cuestiona su existencia; vive en la aceptación de sí mismo, en la confianza y el amor. No escucha todavía la voz insistente de la duda.

"Al mirar los ojos de un bebé, vemos en ellos muy poca individualidad. La pregunta de ¿Quién soy? carece de significado para el infante. Lo que brilla a través de sus ojos es la consciencia misma, la fuente de toda sabiduría. El bebé llega al mundo a partir de la fuente misma de la vida y se desprende de ella gradualmente. Durante un tiempo, permanece inmerso en la eternidad. No tiene noción del pasado o del futuro, sólo de un presente en desarrollo. Eso es lo que significa vivir en la eternidad, ¿porque qué es lo eterno sino el momento presente que se renueva a sí mismo constantemente? El bebé ya disfruta de la promesa misma del Grial — la vida eterna — porque vivir fuera del tiempo es el secreto de la inmortalidad".

"Si eso es cierto", dijo gravemente Galahad, "entonces, ¿porqué no somos todos inmortales desde el nacimiento?"

"A causa de las semillas y las tendencias", replicó Merlín. "Todos los bebés tienden a pasar del mundo eterno al mundo de las horas, los días y los años, del silencio del mundo interior a la actividad del mundo exterior, de la contemplación de sí mismos a la contemplación de todas las cosas fascinantes que los rodean. Basta con observar a un recién nacido durante sus primeras semanas de vida. Poco a poco fija su atención sobre este asombroso mundo nuevo en el cual se encuentra. Y así comienza la alquimia, la transformación constante que se esconderá bajo cada respiración durante los años por venir.

"Un bebé no es un ángel — su pureza dura poco. Por dentro, el bebé siente las primeras punzadas de la ira y el temor, la desconfianza y la duda. A medida que el bebé sale de su estado de inocencia, entra en un mundo más duro, de heridas y golpes. Surgen deseos que no satisface inmediatamente; experimenta el dolor por primera vez.

"Ustedes los mortales llaman a esto la pérdida de la gracia, pero se equivocan. La gracia opera en cada paso de la existencia humana, aunque no lo reconozcan debido a su limitada percepción".

"¿En qué se parece esta triste historia a la alquimia?", preguntó Percival, roído todavía por la duda.

"En que a toda hora está en funcionamiento una magia oculta", dijo Merlín. "El bebé realmente no pierde su inocencia original a medida que crece. Lo que sucede es algo todavía más misterioso. La inocencia permanece intacta en un estado de pureza e integridad que ustedes sencillamente olvidan. Ahora viven en fragmentos. Para ustedes, el mundo es limitado; su identidad está encerrada entre las experiencias individuales y los recuerdos acumulados.

"Al olvidar la unidad aparentemente perdieron de vista lo que son, pero eso es una ilusión. Aunque no actúan o sienten como recién nacidos, la esencia permanece. De hecho, la integridad no se puede fragmentar; la falsedad no puede dañar a la verdad. La pérdida de la inocencia fue un suceso real que, al mismo tiempo, carece de realidad. Las fuerzas de la alquimia operan detrás de lo que ustedes pueden ver, oír o tocar".

"¿Cómo puedo saber que la inocencia está realmente allí?" preguntó Galahad.

"Si deseas entrar en contacto con la inocencia que vive dentro de ti, toma nota de las características del infante: está alerta, es curioso, se maravilla, está seguro de que es deseado en esta tierra, siente que vive en la paz perfecta de la eternidad. Todos los bebés sienten estas cosas".

Segundo paso — El nacimiento del ego

"El siguiente paso", prosiguió Merlín, "anuncia la entrada en escena del ego, el sentido del 'yo'. Para que haya un 'yo' también debe existir un 'tú' o un 'aquello'. El nacimiento del ego es el nacimiento de la dualidad. Marca el principio de los contrarios y, por lo tanto, de la oposición. Aunque cada nuevo paso de la alquimia hace tambalear al anterior y pone el mundo al revés, esta revolución es quizás la más espantosa. ¡Han dejado de ser dioses!

"Imaginen un ser que se siente omnipotente en su mundo. A donde quiera que mira encuentra el reflejo de sí mismo. De pronto, comienza a ver a las personas y a las cosas como creaciones separadas. Ninguno de ustedes recuerda este suceso aterrador porque ocurrió en la primera infancia. Sin embargo, fue un cambio estremecedor, casi como un nuevo nacimiento. Eran felices como dioses y nacieron a la mortalidad".

"También fue un nacimiento al dolor", dijo Percival. "¿Era absolutamente necesario este paso?"

"Ah, claro que sí. Ya les dije, las semillas y las tendencias. Cuando la curiosidad del bebé lo lleva a fijar su atención afuera de sí mismo, ¿qué es lo que ve? Primero, el rostro de su madre. De acuerdo con el plan de la naturaleza, el bebé responde automáticamente a su madre como a una fuente de amor y alimento. Pero es una fuente *externa a sí mismo*. He ahí la trampa, porque por perfecto que sea el amor materno, no es amor propio y, durante muchos años, ustedes suspirarán por la pérdida del amor perfecto, sólo para darse cuenta de que el objeto de su nostalgia es el amor por ustedes mismos antes de que los demás aparecieran en escena.

"Al principio, no había separación. Cuando el bebé tocaba el seno de la madre, o su cuna, o la pared, sentía que todas

190

esas cosas eran una sola sensación continua sin divisiones. Sin embargo, al poco tiempo todos los bebés se dan cuenta de que hay algo más aparte de ellos mismos: el mundo exterior. El ego dice: 'Éste soy yo, ése no soy yo'. Y gradualmente comienza a identificar algunas cosas con su 'yo' — su mamá, sus juguetes, su hambre, su dolor, su cama. Tan pronto como emergen las preferencias se perfila todo un mundo que no es "él" — no es su mamá, no son sus juguetes, y así sucesivamente.

"No puedo recordar ese nacimiento, como tú lo llamas", dijo Percival. "Pero si lo que dices es cierto, entonces fue en ese momento cuando comenzó la búsqueda del Grial. ¿Dónde más podría comenzar sino en la separación?"

"Sí. Mientras ustedes los mortales se sentían divinos, no había necesidad de salir a recuperar la bendición de Dios", coincidió Merlín. "Pero en la separación comenzaron a buscarse a sí mismos en los objetos y los sucesos. Perdieron la capacidad de verse a sí mismos como la fuente verdadera de todo lo que es. Para el bebé no era equivocado sentirse la fuente de la vida. Pero a medida que comienza a explorar el mundo exterior y a fascinarse por sus objetos, liga su felicidad a ellos. Esto es lo que denominamos referencia al objeto, la cual reemplaza la autorreferencia presente en el bebé".

"¿Y este paso no se pierde también a medida que el niño continúa avanzando?", preguntó Galahad.

"Nada se pierde nunca. El nacimiento del ego dio lugar a aspectos que todavía pueden percibir en ustedes mismos: el temor al abandono, la necesidad de aprobación, la necesidad de poseer, la angustia ante la separación, la preocupación por sí mismos, la autocompasión. Desarrollaron adicción por el mundo y continúan siendo adictos, porque ya no pudieron sentir la plenitud de la misma manera simple como la siente un bebé. Pero no se desesperen, porque bajo esos cambios había una fuerza más profunda en funcionamiento".

TERCER PASO — EL NACIMIENTO DEL REALIZADOR

"Una vez que ustedes los mortales tienen ego", continuó Merlín, "tienen un mundo 'allá afuera' y surge una nueva tendencia: la necesidad de salir al mundo y realizar cosas. Las primeras señales de este cambio son primitivas. El bebé desea agarrar y sostener las cosas; desea explorar por sí solo, pero siempre asegurándose de que su madre esté cerca. No tarda en querer caminar y comienza a protestar si la madre no se lo permite. Este deseo de escapar y andar es tímido al principio. Pero con el tiempo, el mismo bebé que anhelaba estar protegido en el regazo de la madre, grita para que lo suelten. Éste es un instinto sano, porque el ego sabe que lo desconocido es la fuente del temor. Si el bebé no se desprendiera para conquistar el mundo, crecería temiéndole cada vez más.

"Cada vez nos apartamos más de la sensación de paz, unidad y confianza con la cual nacieron. El ego comienza a dominar al espíritu. Cuando el bebé entra dentro de sí para sentir lo que hay allí, ya no encuentra consciencia pura sino un remolino de recuerdos. Las experiencias se tornan personales y no vuelven a ser compartidas nunca más".

"Otra historia triste", se lamentó Percival.

"Así sería si terminara ahí", dijo Merlín. "Pero el nacimiento del realizador les trajo confianza y un sentido de individualidad. Este mundo de objetos y sucesos tiene como fin una sola cosa: convertirlos en individuos. Para eso se necesita el ego, por lo menos para el camino que ustedes los mortales han escogido".

"No todos son realizadores. ¿Es este un paso necesario?", preguntó Galahad.

"No todo el mundo adora el éxito o se identifica con el dinero, el trabajo o la posición", dijo Merlín. "Pero el impulso del realizador es más simple, más elemental. Es la marca del ego en acción, demostrándose a sí mismo que la separación es tolerable. En efecto, el nacimiento del realizador hace que este mundo sea alegre, lleno de cosas para hacer y aprender. En algunas personas, el realizador dura mucho tiempo. La sed de fama y fortuna se imponen sobre el verdadero propósito de la búsqueda. Pero Dios permite el libre albedrío total y si la persona decide que el mundo de 'allá afuera' es más importante que ella misma, lo más natural es que sienta la necesidad de alcanzar la fama y la fortuna.

"A los ojos del mago el ego no ofrece posibilidad alguna de realización. Es controlador e implacable. 'Escúchame', dice, 'y toma todo lo que puedas para ti mismo. Así encontrarás la felicidad'. Todos ustedes los mortales siguen ese consejo durante un tiempo. Y tampoco hay nada de malo en ello desde el punto de vista de Dios, porque Su confianza en el libre albedrío es el camino más acertado.

"Prácticamente no tengo que decirles que ese tercer paso permanece con ustedes, porque mientras haya ego, estará presente el realizador. El realizador jamás colma su apetito. Después de todo, no hay límite a las experiencias que se pueden amasar; el mundo es infinito en su diversidad. Pero a medida que el ego crece, sofoca el espíritu bajo capas de cosas — dinero, poder, imagen — hasta que una voz pequeñita comienza a preguntar: '¿Dónde está el amor? ¿Dónde está el ser?' En ese momento está cerca el cuarto paso, otro nacimiento más".

Cuarto paso – El nacimiento del dador

"Con el tiempo, el ego se encuentra con una nueva noción", agregó Merlín. "Que la felicidad no está solamente en tomar, sino también en dar. El descubrimiento es trascendental, porque libera al ego de muchos tipos de temor. Del temor al aislamiento, al cual conduce necesariamente el egoísmo total. Del temor a perder, el cual surge porque es imposible aferrarse a todo para siempre. Del temor a los enemigos, que desean despojarlo.

"Al convertirse en dador, el ego no tiene por qué vivir con esos temores, por lo menos no en la misma medida que antes. Ha resuelto un problema persistente. Pero hay algo más profundo que está en funcionamiento al mismo tiempo. El dar conecta a dos personas, al dador y al receptor. De esta conexión brota un nuevo sentido de pertenencia, no la pertenencia pasiva del bebé que pertenece automáticamente a la madre, sino la pertenencia activa de alguien que ha aprendido a crear felicidad.

"Dar es crear. También modifica completamente la perspectiva del ego. Antes de nacer el dador, lo más importante era protegerse contra la pérdida. Eso significaba la pérdida del dinero y las posesiones, pero también de la imagen de sí mismo, de su importancia. Ahora la persona se desprende libremente de algo, pero no lo *siente* como una pérdida. El ego, por el contrario, siente placer. Y qué asombroso, porque el placer de tomar nunca fue como este nuevo placer".

Galahad estaba pensativo. "El amor ha entrado en el corazón. De ahí la diferencia".

"Sí", dijo Merlín. "Mientras el ego persigue su interés egoísta, no siente amor. Puede sentir un placer intenso o satisfacción propia o apego. En ocasiones se les llama amor a esos sentimientos, pero la verdadera naturaleza del amor es desprendida y se necesita un acto de desprendimiento para sacar a flote el amor. El dar no se limita a dar dinero o cosas a otra persona. También está el servicio, el darse uno mismo y la devoción, el acto de dar amor en su forma pura.

"Por todas estas razones, el nacimiento del dador se siente como algo fresco y liberador. Aunque el ego continúa dominando, ha comenzado a mirar afuera de sí mismo. La mayoría de las personas aprenden el placer de dar en la infancia; la mayoría de los padres enseñan a sus hijos a compartir con otros niños. Sin embargo, el verdadero nacimiento del dador se produce mucho más tarde. Mientras la persona dé porque así se lo han pedido o porque cree que es lo correcto, no sentirá el placer profundo de dar. El dar debe ser espontáneo, nacido de la noción de que 'Esto es lo que deseo hacer', y no 'Esto es lo que debo hacer'.

"¿Es señal de que el ego está muriendo cuando comenzamos a dar?", preguntó Percival.

Merlín arrugó el ceño. "En la alquimia no hay muerte. No hay necesidad de que nada muera para llegar al Grial. Esta vieja noción de la muerte del ego parte del supuesto de que Dios juzga negativamente algunas de las cosas del ser humano".

"Pero acabas de decir que el ego es controlador e implacable", objetó Percival. "¿Es eso parte del plan de Dios para nosotros?"

"El plan de Dios es que ustedes se encuentren a ustedes mismos", dijo Merlín. "No están destinados a llegar simplemente a una meta fija. Si desean explorar cómo es el egoísmo, o la ignorancia, o el instinto asesino o la carencia total de fe, Dios permite todas esas experiencias. ¿Por qué no habría de hacerlo? Puesto que no son juzgados, ninguna de sus actuaciones es buena o mala a los ojos de Dios".

"Pero eso es espantoso", dijo Galahad. "¿Estás diciendo que un asesino y un santo son iguales?"

"Son iguales si el pecador y el santo son sólo máscaras tras las cuales se ocultan las personas", replicó Merlín. "El santo en esta vida puede ser el pecador en otra, y quien peca hoy puede estar aprendiendo a ser un santo mañana. Todos esos papeles son ilusiones a los ojos de Dios. No estoy diciendo que deban obligarse a ver las cosas de esta forma. Pero me solicitaron orientación y estoy aquí para mostrarles lo que les espera en el camino".

Quinto paso – El nacimiento del buscador

"Durante mucho tiempo, el ego ha hecho lo que ha querido", continuó Merlín. "La pregunta ¿Qué es lo mejor para mí? ha predominado por encima de todas las consideraciones; el estrecho punto de vista individual ha sido el único con visos reales. Eso es apenas natural. Como dije, este mundo relativo tiene un propósito, a saber: enseñarles a convertirse en individuos. Pero la individualidad con el tiempo comienza a abrirse y a ampliar sus horizontes. Podríamos predecir que, dado el libre albedrío, los seres humanos se limitarían a regodearse en un egoísmo cada vez mayor. Si el ego implacable y controlador tuviera la última palabra, quizás ése sería el destino de los hombres; pero la alquimia funciona invisiblemente, en los pasajes recónditos del alma.

"Con el tiempo, el dador da el siguiente paso para convertirse en buscador. En esta fase, las preocupaciones tradicionales y conocidas del ego se dejan de lado. El sentido del 'yo' comienza a crecer. Ahora la persona ansía tener experiencias espirituales, y percibe una fuente de amor y realización que ni siquiera el amor más intenso de otra persona le puede dar.

Nuevamente, este giro produce un choque. En su mejor versión, el dador es un filántropo. Comenzó dando solamente a su familia y amigos, luego a las obras de caridad y a la comunidad, pero al final su espíritu de dar sólo se puede satisfacer cuando beneficia a toda la humanidad.

"Pero, ¿realmente puede uno dar algo de uno mismo a todos los seres del mundo? Esta pregunta nos trae al límite de la individualidad; es una pregunta que sólo un santo puede responder. Por lo tanto, es natural que la etapa de dar genere preguntas que no se pueden responder, preparando así el terreno para un nuevo nacimiento. El dador que deseaba abrazar al mundo descubre que éste ya no es fuente de realización. Las cosas que una vez le produjeron placer comienzan a parecer sosas; en particular, la necesidad del ego de recibir aprobación y de sentirse importante ya no engendra satisfacción. Surge la sed de ver el rostro de Dios, de vivir en la luz, de explorar el silencio de la consciencia pura — el impulso del buscador puede asumir muchas formas.

"Sin embargo, todos los buscadores comparten el sentimiento de que el mundo material no es quizás el sitio donde pueden realizar sus deseos. ¿Por qué sucede esto? ¿Acaso no está Dios en todas partes, no está el espíritu en el grano más pequeño de arena? Sí y no. Dios puede estar en todas partes, pero eso de nada sirve si no se puede ver dónde está. El buscador busca a fin de ver".

"Creo que *ésta* es la etapa en la cual comienza la búsqueda del Grial", dijo Galahad.

"En efecto, para algunos mortales ésta es la etapa en la cual el Grial se vuelve el símbolo de una necesidad interior profunda", replicó Merlín, "pero cada etapa ha sido una búsqueda, hasta la pérdida de la inocencia. Ustedes los mortales están obsesionados con dividir la realidad en bueno y malo, santo y pecaminoso, divino y no divino, cuando en realidad la vida es una corriente divina. Un solo impulso, el impulso de poseer el conocimiento completo y la realización completa, es el que empuja la vida hacia adelante.

"Pero tienes razón en un sentido. Con el nacimiento del buscador podemos dar por primera vez un nombre a un deseo que ha permanecido anónimo hasta ahora. Trátese de Dios, el Grial, un Ser divino o un espíritu, no importa. Todos apuntan hacia una nueva necesidad profunda de escapar de los límites impuestos por el tiempo y el espacio. La esencia del ser humano no tiene fronteras. Ustedes nacieron a una vida universal. El mundo parece estar limitado por el tiempo y el espacio, pero eso es sólo apariencia".

"¿Por qué debemos dejarnos engañar por las apariencias?" preguntó Percival.

"El universo no les oculta nada", replicó Merlín. "No hay engaño. La apariencia de limitación se produce porque este mundo es una escuela o campo de entrenamiento. Y la regla fundamental aquí es que tal como se vean a ustedes mismos, así verán al mundo. Si ustedes se consideran inferiores o indignos, ese solo juicio mantendrá a Dios apartado de ustedes. Podrán decir que desean a Dios, pero al mismo tiempo mantendrán esos juicios en su contra".

"Entonces Dios permanece alejado", musitó Galahad con tristeza. "Y la búsqueda del Grial no termina jamás".

Merlín lo miró con simpatía. "El espíritu no podría mantenerse apartado aunque ustedes lo desearan, porque todo es espíritu. No hay sitios secretos donde él no habite. En lo que a Él concierne, no hay nada de malo en ustedes.

"Déjenme hablarles más acerca del buscador, porque ésta es la etapa de la alquimia que atrae al mago hacia ustedes y también es la etapa para la cual los mortales están menos preparados. Desde que eran lactantes, ustedes han deseado cada vez más cosas. El buscador es simplemente aquel cuyos deseos se han ampliado hasta el punto de no estar satisfecho sino hasta que se encuentre frente a frente con Dios. Este deseo no es más 'elevado' que el de querer juguetes o dinero o fama o amor. Los juguetes, el dinero, la fama y el amor *eran* el rostro de Dios cuando eran lo más importante para ustedes. Cualquier cosa que en su opinión pueda traerles la paz y la realización es su versión de Dios. Sin embargo, a medida que maduran de una fase a la otra, se acercan más a la verdadera meta; su imagen de Dios se hace cada vez más verdadera, más cercana a Su naturaleza de espíritu puro. Pero en cada paso hay divinidad".

"¿Estás diciendo que cualquiera que desee robar o asesinar está siguiendo un impulso divino? Después de todo, esos también son deseos", anotó Percival.

"El amor es universal y, por lo tanto, no toma partido", replicó Merlín. "Es probable que al ego no le agrade este hecho y diga, 'Merezco el amor de Dios pero esa persona que está allá no'. Dios no ve las cosas así. El ladrón provoca la pérdida de los bienes; el asesino provoca la pérdida de la vida. Mientras esas pérdidas sean reales para ustedes, entonces obviamente condenarán a la persona responsable de causarlas. Pero, ¿acaso el tiempo mismo no acabará por desposeerlos de sus bienes y de la vida al final? ¿También el tiempo es un delincuente? Hay un punto de vista desde el cual el pecado es una ilusión. Nada de lo que ustedes llaman pecado puede mancillar en lo más mínimo el amor de Dios".

"¿Obtienen automáticamente los buscadores las visiones y experiencias que desean?", preguntó Galahad.

"Cada quien recibe la versión de lo divino que concibe en su mente. Algunos ven a Dios en visiones, otros en una flor.

Hay muchas clases de buscadores. Algunos necesitan actos milagrosos de intervención y redención, otros siguen una fuerza invisible que habla a través de los sucesos más corrientes. El buscador sencillamente está motivado por la sed de una realidad superior. Eso no significa que la etapa anterior de dar desaparezca. Pero ahora el dar sucede sin motivación egoísta, ahora brota de la compasión.

"Por primera vez se pone en tela de juicio la opinión de que el ego es todopoderoso y lo sabe todo. Por lo tanto, el nacimiento del buscador puede ser tremendamente turbulento. Imagínense como un coche tirado por caballos. Durante la mayor parte del tiempo no hay cochero y los caballos han llegado a creerse dueños del coche. Entonces llega el día en que una voz suave, salida del interior del coche, susurra: 'Deténganse'. Al principio, los caballos no oyen la voz, pero esta repite: 'Deténganse'. Sin poder dar crédito a sus oídos, los caballos galopan con mayor velocidad, sólo para demostrar que no tienen amo. La voz interior no utiliza la fuerza; no protesta. Solamente continúa repitiendo: 'Deténganse'.

"Eso es lo que sucede dentro de ustedes. El coche es su yo, los caballos son el ego, la voz que sale de adentro es el espíritu. Cuando el espíritu se anuncia en escena, al principio el ego no escucha porque está seguro de su poder absoluto. Pero el espíritu no emplea el tipo de poder al cual está acostumbrado el ego. El ego está habituado a rechazar, a juzgar, a separar y a tomar lo que considera que le pertenece. El espíritu es sencillamente la voz suave del Ser, afirmando lo que es. Con el nacimiento del buscador, ésa es la voz que comienza a dejarse oír. Pero deben estar preparados para la reacción violenta del ego, el cual no está dispuesto a renunciar a su poder sin dar batalla".

"¿Cómo puede terminar esa batalla si el espíritu no tiene poder?", preguntó Percival.

"Dije que el espíritu no utiliza el poder al cual está acostumbrado el ego. Con el tiempo aprenderás que el espíritu no es otra cosa que poder, un poder de infinito alcance. Es un poder organizador que mantiene en perfecto equilibrio a todos y cada uno de los átomos del universo. Comparado con él, el poder del ego es absurdamente limitado y trivial. Sin embargo, este conocimiento llega únicamente tras renunciar a la necesidad del ego de controlar, predecir y defender. Su poder se limita a esas tres cosas. Si su ego pudiese renunciar a ellas de una vez, no habría necesidad de pasos ulteriores en el camino del crecimiento; el nacimiento del buscador sería suficiente.

"Pero las cosas no suceden así. La voz del espíritu anuncia que hay una realidad superior. Ascender a ella es otra cuestión".

"Yo creo que los buscadores deben ser escasos, considerando cuán dura es la lucha", dijo Galahad. "Muchos deben fracasar y perder la esperanza. ¿Es esa la razón por la cual nacen tan pocas personas destinadas a alcanzar el Grial?"

"Todos nacen para alcanzar el Grial", le recordó Merlín. "La razón por la cual los buscadores parecen escasos es principalmente cuestión de apariencias sociales. La búsqueda es una experiencia completamente interior. No es posible saber quién busca y quién no busca, con sólo mirar las señales externas. La sociedad no otorga distinciones o premios especiales al buscador; éste puede retirarse y dejar atrás a la sociedad, o puede continuar ocupando una posición distinguida".

"¿Cómo puede una persona reconocerse como buscadora?" preguntó Percival.

"Las marcas internas del buscador son las siguientes: el

impulso de dar brota de un amor desinteresado y de la compasión, sin desear nada a cambio, ni siquiera gratitud; la intuición se convierte en una guía digna de confianza para la acción, reemplazando a la racionalidad pura; se vislumbra un mundo nunca visto como la realidad superior; aparecen insinuaciones de Dios y de inmortalidad. Estas señales llegan acompañadas de un goce mayor de la soledad, de una mayor confianza en uno mismo independientemente de la aprobación de la sociedad, de indicios del Ser y de la disposición a confiar. Los patrones adictivos comienzan a desaparecer. La meditación y la oración se vuelven parte de la vida cotidiana. Sin embargo, a medida que todas esas manifestaciones alejan a la persona del mundo material, ésta comienza a encontrar, paradójicamente, una conexión más profunda con la naturaleza, más comodidad con su cuerpo y mayor aceptación de los demás. Esto se debe a que el espíritu no es el contrario de la materia. El espíritu lo es todo y la aparición de éste en su vida mejorará las cosas, incluso aquéllas que parecen contrarias".

Sexto paso — El nacimiento del vidente

"Les dije", continuó Merlín, "que la motivación del buscador era poder ver, y eso es algo que llega pronto. El sexto paso, el nacimiento del vidente, está justo debajo de la superficie de todo buscador. La búsqueda no entraña satisfacción en sí misma; la vida sería estéril y frustrante si todos tuvieran que buscar sin encontrar nada. Por fortuna, en el plan divino todas las preguntas traen sus respuestas, todas las metas acaban por encontrarse en su fuente. Una vez que se pregunten verdaderamente dónde está Dios, verán la respuesta.

"No quisiera engañarlos con esto. El nacimiento del vidente es tan revolucionario como cualquiera de los pasos anteriores. Marca el final del ego, el final de toda identificación externa. Imaginen sus vidas como un cuadro en movimiento proyectado sobre una tela blanca. Mientras están dominados por el ego, ustedes fijan su atención en las figuras en movimiento, las cuales ven como reales. Cuando aparece en escena el buscador, comienzan a percibir la irrealidad de las figuras. Pero con el nacimiento del vidente, se dan la vuelta para mirar la luz. Ahora ven la imagen de ustedes mismos como realmente es: una proyección débil hecha real por la aguda necesidad del ego de dar importancia a la mente y el cuerpo atrapados en el tiempo.

"El vidente ve más allá de esa motivación y ya no le cree. En lugar de verse a sí mismo como un hogar de carne y hueso para el espíritu — un fantasma dentro de una máquina —, se da cuenta de que todo es espíritu. El cuerpo es espíritu entretejido en una forma que los sentidos pueden ver, sentir y oler; la mente es espíritu en una forma que se puede oír y comprender. El espíritu mismo, en su forma pura, no es ninguna de estas dos y se percibe únicamente a través de una intuición agudizada. Han oído la frase: 'Quienes Lo conocen no hablan de Él; quienes hablan de Él no Lo conocen'. Ése es el misterio del espíritu".

"Pero, ¿acaso no estás hablando de Él ahora mismo?", inquirió Galahad, confundido.

"No en la forma como ustedes creen. Cuando hablo de una piedra, ustedes la pueden ver y tocar. Cuando hablo del espíritu, estoy apuntando a un mundo invisible. Desde ese mundo vuelan hacia nosotros flechas de luz para encender nuestras almas, pero no podemos devolver flechas de pensamiento".

"Eso suena muy misterioso", murmuró Percival.

"Una rosa sería misteriosa si solamente pudieran pensar en

ella sin experimentarla jamás. El espíritu es una experiencia directa, pero trasciende este mundo. Es silencio puro que desborda potencial infinito. Cuando ustedes adquieren conocimiento sobre algo, adquieren conocimiento sobre una cosa; cuando adquieren conocimiento sobre el espíritu, se convierten en la sabiduría misma. Todos los interrogantes desaparecen porque se encuentran en el seno mismo de la realidad, donde todo sencillamente *es*. Cuando la mirada del buscador cae sobre algo, sencillamente lo acepta como es, sin juzgar. No existe la necesidad del ego de tomar, o poseer o destruir. Ante la ausencia del temor, esas motivaciones no se presentan porque la necesidad de poseer emana de la carencia. Cuando no hay carencias para llenar, el simple hecho de estar aquí en este mundo, en su cuerpo, es la meta espiritual más elevada que podrían alcanzar".

Esta parte del discurso de Merlín tuvo un impacto grande en Percival y Galahad. Habían seguido con atención los primeros pasos, pero el ego, el realizador y el dador ya les eran conocidos. Cuando el mago les habló del buscador, los dos caballeros se vieron a sí mismos como eran en ese momento. Sin embargo, el vidente los llenó de sobrecogimiento, como si fueran exploradores que alcanzaban la cima de una montaña y miraban un nuevo horizonte anhelado de tiempo atrás pero nunca antes experimentado.

"Deseo ser ese vidente del que hablas", dijo fervientemente Galahad.

Merlín asintió. "Eso significa que estás listo. Para el mago hay solamente tres clases de personas: las que aún no han experimentado el Ser puro, las que ya lo han probado, y las que lo han explorado completamente. Tú ya has probado y deseas explorar. Para ti, este mundo comenzará a desaparecer como algo sólido para fundirse en la luz abrasadora de

Ser. En una tierra lejana llamada India, dicen que la vida corriente palidece ante Dios, como una vela que parecía brillante en la oscuridad pero se torna invisible ante el Sol del medio día". Merlín se dirigió entonces a Percival. "Y a ti también te incluyo en esta etapa, sin importar la manera como crees que te juzgué".

Percival se sonrojó y luego tartamudeó: "¿Cómo será esa nueva vida?"

"Como siempre, se sentirá como un nuevo nacimiento. El vidente se diferencia del buscador en que ya no tiene que tomar decisiones y escoger. El buscador todavía está inmerso en la ilusión en la medida en que va por ahí diciendo: 'Aquí está Dios, aquí no está Dios'. El vidente, por su parte, ve a Dios en la vida misma. La larga lucha interior ha terminado por fin y el guerrero puede dejar atrás sus fatigas. En lugar de la lucha experimenta que todos sus deseos se cumplen con naturalidad y sin esfuerzo. No hay señales externas que nos permitan reconocer a los videntes, pero en su interior ellos se sienten abiertos y a gusto; permiten que los demás sean como son, lo cual es la forma más elevada del amor; no les ponen obstáculos a los demás y tampoco a los acontecimientos, y han renunciado a todo sentido del 'Yo'".

Séptimo paso — El espíritu

"Es difícil pensar que pueda haber una etapa superior de la vida", dijo Galahad al cabo de un momento, profundamente conmovido por la descripción del vidente.

"Ten cuidado con esa palabra *superior*", le advirtió Merlín. "El ego es el que tiene necesidad de lo superior y lo inferior. La meta de tu vida es la libertad y la realización. A la realización se llega únicamente al conocer a Dios tan completamente como Él se conoce a Sí mismo. Ustedes los mortales tienen una sed constante de milagros, pero yo les digo que el milagro más grande son ustedes, porque Dios les ha dotado de esa capacidad única de identificarse con Su naturaleza. Una rosa perfecta no siente que es una rosa; un ser humano realizado sabe lo que significa ser divino".

"¿Es posible describir ese estado?", preguntó Percival.

"Es el séptimo y último paso de la alquimia, el espíritu puro. Cuando llega, el vidente se da cuenta de que lo que parecen ser la dicha y la realización totales todavía pueden ampliarse. Porque llegar a la presencia de Dios no es el final de la aventura sino el principio. Comenzaron en la inocencia, y así terminarán. Pero esta vez la inocencia es diferente porque habrán adquirido el conocimiento pleno, mientras que cuando eran bebés, la inocencia era apenas un sentimiento.

"Cuando puedan verse como espíritu, dejarán de identificarse con este cuerpo y esta mente. Al mismo tiempo cesarán también los conceptos de nacimiento y muerte. Serán una célula en el cuerpo del universo, y ese cuerpo cósmico será tan íntimo como lo es ahora su cuerpo físico. Esto es lo más que puedo decirles acerca de la manera como se siente el mago, porque *mago* es sólo otra palabra para describir la séptima etapa.

"Comprendan esto: para el mago, el nacimiento no es otra cosa que la idea de tener un cuerpo, mientras que la muerte es apenas la idea de no tener ya ese cuerpo. Puesto que los magos no están sujetos a la ilusión del nacimiento, cualquier cuerpo que asumen es considerado un patrón de energía y cualquier mente un patrón de información. Estos patrones cambian eternamente; van y vienen. Pero el mago mismo está más allá del cambio. La mente y el cuerpo son como habitaciones en las que decide vivir, pero no todo el tiempo.

"No hay sentimiento o pensamiento que pueda aproximar este estado o traerlo hasta ustedes. El espíritu nace del silencio puro. El diálogo interno de la mente debe cesar y no reiniciarse nunca, porque ya no existe aquello que dio lugar al diálogo interno: la fragmentación del ser. Su ser estará unificado y, así como el bebé del principio, no sentirán duda, vergüenza o culpa. De la necesidad de dualidad del ego brotó un mundo de bien y mal, correcto e incorrecto, luz y sombra. Ahora verán que los contrarios están fusionados. Ése es el punto de vista de Dios, porque a donde quiera que mira se ve a Sí mismo.

"Si creen que esta meta es demasiado elevada o se encuentra demasiado lejos, les diré un secreto. Aunque crean que pasan por los siete pasos de la alquimia, todos estaban presentes desde el comienzo. En la inocencia estaba la totalidad de Dios, como lo está también en el ego, en el afán de realizar, en el dar o en la búsqueda. Lo único que cambia realmente es el foco de atención. En su ser están todos los aspectos del universo, tan completos y eternos como el universo mismo. Pero aun así, el nacimiento al espíritu es un suceso tremendo. A medida que madure la unidad, se familiarizarán cada vez más con la divinidad, hasta que finalmente podrán experimentar a Dios como un ser infinito que se mueve a velocidad infinita a través de dimensiones infinitas. Cuando llegue esa experiencia sobrecogedora, parecerá tan natural y simple como estar sentados aquí bajo las estrellas y, no obstante, ustedes serán cada una de esas estrellas titilantes".

Como suele suceder cuando los magos hablan, los dos caballeros se sintieron transportados al estado que Merlín les estaba describiendo. Galahad alzó los ojos al cielo y sintió como si súbitamente pudiera tocar las estrellas. Sintió el corazón invadido por una sensación de pertenecer verdaderamente al mundo. "Hemos llegado al hogar", susurró para sí mismo Percival.

"No se sientan abrumados", murmuró Merlín. "Sus sentimientos son muy intensos porque son nuevos. En realidad, éste es su estado natural. Ser uno con el cosmos, estar íntimamente ligados con la vida en todas sus formas, llegar a la unidad última con su propio Ser — ése es su destino, el final de su búsqueda".

"Al final llegaremos al principio", murmuró Galahad.

"Sí", dijo Merlín. "Cada uno de ustedes comienza con el amor, pasa por la lucha, la pasión y el sufrimiento, sólo para terminar nuevamente en el amor". La voz de Merlín se fue haciendo más suave a medida que el círculo de luz se iba desvaneciendo. "Ustedes los mortales tienen sed de milagros, les digo, y nada se les negará como hijos privilegiados del universo que son. El espíritu es el estado de lo milagroso, el cual se desenvolverá para ustedes en tres etapas:

"*Primero,* experimentarán milagros en el estado conocido como consciencia cósmica. Cada suceso material tendrá una causa espiritual. Cada acontecimiento local también estará teniendo lugar en el escenario del universo. Su más pequeño deseo hará que las fuerzas cósmicas operen para provocar su realización. Por maravilloso que eso parezca, no es un estado tan avanzado, porque mucho antes de llegar a la consciencia cósmica se habrán acostumbrado a que sus deseos se hagan realidad espontáneamente.

"*Segundo,* realizarán milagros en el estado denominado consciencia divina. Es el estado de la creatividad pura en el cual se funden con el poder de Dios, por el cual Él crea mundos y todo lo que sucede en ellos. Ese poder no se deriva de nada que haga Dios — es simplemente Su luz de consciencia. Verán la consciencia divina como un resplador de oro que brilla a través de todo lo que sus ojos contemplen. El mundo se ilumina desde adentro y no quedan dudas de que la materia es simplemente el espíritu manifiesto. En la consciencia divina se verán a sí mismos como lo creado, no el creador, como el dador de vida, no el receptor.

"*Tercero,* se convertirán en el milagro, en el estado denominado consciencia de la unidad. Ahora cualquier diferencia entre el creador y lo creado ha desaparecido. Su espíritu se fusiona con el espíritu de todo lo demás. Su retorno a la inocencia lo abarca todo porque, al igual que el bebé que toca la pared o la cuna y solamente se siente a sí mismo, verán cada acción como espíritu volcándose en el espíritu. Vivirán en total sabiduría y confianza. Y aunque parecerá que todavía viven dentro de un cuerpo, éste será solamente un grano de Ser en las playas de ese océano infinito de Ser que son ustedes".

Los caballeros no tenían idea de cuánto tiempo había transcurrido desde que Merlín comenzara a hablar. Se sentían elevados a un espacio donde las esferas de Ser se abrían una tras otra como los pétalos de una flor. Y cuando la última se abrió pudieron ver en su interior un diamante casi translúcido rotando en el centro. "¿Qué es eso?", quiso saber Galahad, pero no se atrevió a preguntar.

"*He ahí el Grial*", susurró Merlín. "El desarrollo de su búsqueda los ha llevado hasta una visión de la meta — el punto de luz pura, la esencia diamantina que alumbra dentro de su alma". Los dos caballeros se arrodillaron en el suelo gélido y oraron en sus corazones por la gracia de merecer la visión. "Vivan con devoción este momento", dijo Merlín. "Los he traído hasta aquí motivado por su deseo más profundo, pero ahora deberán conquistar ustedes mismos el verdadero Grial, no solamente su visión".

"¿El verdadero Grial?", murmuró Percival. "¿Qué debemos buscar? ¿Esta misma imagen?"

"No esperen, no tengan expectativas", advirtió Merlín a medida que se desvanecía la visión del Grial. "El hombre busca símbolos, y los símbolos cambian de una era a otra. Pero lo que les he mostrado no es un símbolo sino la verdad. El Grial es el punto cristalino del Ser dentro de sus corazones. Sus facetas reflejan la luz, y a partir de esos tenues reflejos surgen todas las facultades de la mente y el cuerpo que ustedes perciben a través de sus sentidos. Como reflejos son reales, pero mucho más real es este diamante transparente de Ser puro.

De pronto, Merlín bostezó echando la cabeza hacia atrás como si fuera la sensación más deliciosa del mundo. Estiró los brazos y se puso de pie. La oscuridad era casi total después de extinguirse el fuego, pero Percival y Galahad podían sentir los ojos de Merlín fijos en ellos. Les dijo: "Un día recordarán esta noche y preguntarán: '¿Quién eres tú, Merlín?' Desde más allá de los confines del tiempo, les responderé de este manera: Soy aquel que no necesita de milagros. Soy un mago y, para mí, estar aquí es suficiente milagro. ¿Qué podría ser más milagroso que la vida misma?"

El anciano desapareció con el último resplandor del fuego. Percival y Galahad permanecieron inmóviles, sin decir palabra. Estaban aún bajo el hechizo del discurso de Merlín, pero a medida que éste se desvanecía, temblaron lamentando su regreso a la tierra. Al caer el alba echaron a andar hacia el castillo. A la luz del nacimiento dorado del Sol, Percival vio al rey Arturo parado en la ventana de su recámara real; tenía su mirada fija en ellos.

"¿Crees que debamos contarle esto?", preguntó Percival, señalando hacia el castillo.

Galahad sacudió la cabeza. "Estoy seguro de que el rey sabe

lo sucedido; tuvo que haberle pasado a él o, de lo contrario, ¿por qué su renuencia a hablar del Grial? Pero te diré esto, hermano caballero. Desearía que Arturo comprendiera que estamos con él en la misma búsqueda que propone Merlín. Acordemos llamar a esta noche la noche de la cueva de cristal. El rey sabrá lo que queremos decir".

Y aunque no habían estado en cueva alguna sino bajo el manto del firmamento estrellado, Percival estuvo de acuerdo inmediatamente.

AGRADECIMIENTOS

Deseo manifestar mi cariño y gratitud a las siguientes personas:

Ante todo, a mi amigo de muchos años, mi guía y editor, Peter Guzzardi. ¡Peter, eres el mejor!

Y a mi familia de Harmony Books, incluyendo a Shaye Areheart, Patty Eddy, Tina Constable, Leslie Meredith, Chip Gibson y Michelle Sidrane.

A Rita Chopra, Mallika Chopra y Gautama Chopra por ser expresiones vivientes de los principios plasmados en este libro.

A Ray Chambers, Gayle Rose, Adrianna Nienow, David Simon, George Harrison, Olivia Harrison, Naomi Judd, Demi Moore, Alice Walton, Donna Karan y la hermana Judian Breitenbach, por su valor y compromiso con una visión sin fronteras.

A Roger Gabriel, Brent Becvar, Rose Bueno-Murphy y a todos mis colaboradores del Sharp Center for Mind-Body Medicine, por ser ejemplos de inspiración para todos nuestros huéspedes y pacientes.

A Deepak Singh, Geeta Singh y todos mis colaboradores de Quantum Publications, por su energía y dedicación infatigables.

A Muriel Nellis por su firme intención de mantener el más alto nivel de integridad en todas nuestras empresas.

A Richard Perl por ser un ejemplo maravilloso de referencia al yo interior.

A Arielle Ford por su fe inamovible en el autoconocimiento y por su entusiasmo contagioso y su compromiso con la transformación de la vida de tantas personas.

Y a Bill Elkus por su comprensión y amistad.